COMO CONVERSAR COM UM FASCISTA

COMO CONVERSAR COM UM FASCISTA

MARCIA TIBURI

15ª edição

Editora Record
RIO DE JANEIRO • SÃO PAULO
2022

CIP-BRASIL. CATALOGAÇÃO NA PUBLICAÇÃO
SINDICATO NACIONAL DOS EDITORES DE LIVROS, RJ

Tiburi, Marcia, 1970-
T431c   Como conversar com um fascista / Marcia Tiburi. – 15ª ed. –
15ª ed. Rio de Janeiro: Record, 2022.

ISBN 978-85-01-10658-2

1. Fascismo. 2. Política e governo. I. Título.

                                       CDD: 320.981
15-25537   CDU: 32(81)

Copyright © Marcia Tiburi, 2015

Todos os direitos reservados. Proibida a reprodução, armazenamento ou transmissão de partes deste livro, através de quaisquer meios, sem prévia autorização por escrito.

Texto revisado segundo o novo Acordo Ortográfico da Língua Portuguesa.

Direitos exclusivos desta edição reservados pela
EDITORA RECORD LTDA.
Rua Argentina, 171 – Rio de Janeiro, RJ – 20921-380 – Tel.: (21) 2585-2000.

Impresso no Brasil

ISBN 978-85-01-10658-2

Seja um leitor preferencial Record.
Cadastre-se em www.record.com.br e receba informações
sobre nossos lançamentos e nossas promoções.

Atendimento e venda direta ao leitor:
sac@record.com.br

Agradecimento

Os textos a seguir têm um propósito filosófico-político: pensar com os leitores sobre questões da cultura política experimentada diariamente, de um modo aberto, sem cair no jargão acadêmico. O jargão assombra a vida de muita gente, limitando o alcance público da reflexão.

Outras formas de fazer filosofia que ultrapassem o sempre igual dependem da experiência que pessoas em geral podem ter com a linguagem de que dispõem. É com a linguagem que fazemos filosofia. A filosofia é, de qualquer maneira, um acontecimento da linguagem. A linguagem disponível é a "língua de todo mundo" que usamos diariamente para nos comunicar e nos expressar. Verdade que em sociedade funcionam "jogos de linguagem" e não existe um jogo único que possa ser jogado por todo mundo. Mas existe um jeito de reunir os jogos, um elemento que constrói o "comum": o diálogo.

É preciso hoje em dia fazer filosofia com as pessoas. Insistir em uma "filosofia em comum" que não seja o simples consenso, mas a coragem do diálogo. O diálogo não surge sem esforço. Um esforço que, de tão complexo, equivale ao método. Que, de tão difícil, equivale à resistência. Que, de tão potente, equivale à transformação social em seu nível mais estruturador. A formação da subjetividade para o diálogo é algo que importa quando desejamos uma sociedade democrática, e é essa a grande contribuição da filosofia para a nossa época, em que o autoritarismo cresce e aparece. Diálogo é a forma específica do ativismo filosófico. A democracia que salvaguarda os direitos e impede a violência está ameaçada em todos os espaços da cultura, das instituições e do cotidiano. Não podemos fingir que nada está acontecendo enquanto muitos descobrem essa verdade na própria pele.

Demandas de transformação social interpelam o pensamento filosófico, pedindo atitudes. A filosofia corre o risco de perder seu lugar ético-político ao buscar uma imagem de neutralidade metafísica diante dos fatos. O pensamento não é neutro; ou ele é confirmação do estado de coisas, ou é crítico e transformador das subjetividades na direção de um pensamento lúcido entrelaçado a práticas lúcidas em tempos obscurantistas.

Em nome disso é que este livro foi escrito. E não teria sido publicado sem que Lucas Bandeira, meu editor, tivesse aberto seu caminho. Se Luciana Villas-Boas não se mantivesse sempre atenta e cuidadosa em cada detalhe. Agradeço a eles sinceramente.

Do mesmo modo, sou grata a Daysi Bregantini por tantas provas de amizade, sobretudo pela já histórica generosidade do espaço da revista *Cult*, onde publiquei parte considerável do que aparece aqui.

Rubens Casara sugere um livro como este há tempos. Ao escrever a apresentação desta edição, ele não imagina que, agradecendo sua leitura cuidadosa e sempre atenta, e o diálogo intenso em todos os momentos, aproveito para dedicar a ele este pequeno livro. No entanto, com amor imenso.

Sumário

Apresentação	**9**
Prefácio à 13ª edição	**14**
Prefácio	**18**

1. Questões preliminares: experiência política e experiência da linguagem ou o diálogo como desafio — **23**
2. Como conversar com um fascista — **29**
3. Máquina de produzir fascistas — A origem e a transmissão do ódio — **32**
4. Afeto contagioso — **33**
5. Paranoia como condição social — **35**
6. Treino para o ódio — **37**
7. Um desafio teórico-prático — **39**
8. "Tudo o que não presta" — **41**
9. *Experimentum Crucis* — **44**
10. Abertura — **48**
11. Indústria cultural da antipolítica — O caráter manipulador — **51**
12. O analfabeto político é antipolítico — **53**
13. Democracia: a palavra mágica — **55**
14. A partilha da miséria — **57**
15. Distorcer é poder — **58**
16. Consumismo da linguagem: o rebaixamento dos discursos — **60**
17. Democracia e autoritarismo — **66**
18. Flerte antidemocrático — **68**
19. Sobre o desejo de democracia — **70**
20. Neofundamentalismo — **74**
21. Crença útil — **76**
22. A violência e os meios de comunicação — **77**
23. Linchamento — Cumplicidade e assassinato — **79**
24. Prepotência — **81**
25. Em nome da angústia — Uma meditação sobre a morte — **84**
26. Vida como categoria política — **85**
27. Histeria de massas — **86**
28. Depressão: uma questão cultural — **87**
29. Luto proibido — **90**
30. O peso mais pesado — Ódio e meios de produção do ressentimento — **92**
31. Mais amor, por favor — **96**

32. O amor é histórico — 98
33. Eu te amo — 99
34. A cultura do assédio — 101
35. A lógica do estupro — 104
36. Condenação prévia e responsabilidade — 105
37. Toda mulher é "estuprável" ou o sexo é apenas lógico — 107
38. O que é "ser mulher" enquanto "ser estuprável"? — 110
39. Pensar na vítima e esquecer o criminoso — 111
40. Como alguém se torna um estuprador? — 112
41. Ignorante com poder e sem poder — Um problema no âmbito da legalização do aborto — 113
42. As pessoas não sabem o que dizem quando falam contra a legalização do aborto — 115
43. O aborto e a bondade das pessoas de bem — 116
44. A postura a favor da ilegalidade — 118
45. "Olho gordo" — Uma pequena nota sobre a inveja, o medo e ódio na televisão — 120
46. Coronelismo intelectual — 123
47. Intelectual serviçal — 125
48. A arte de escrever para idiotas — 127
49. O consumismo da linguagem — 133
50. Deriva — 136
51. O ato digital — 139
52. O outro lado — 141
53. Falação mecânica — 143
54. Mito e ressentimento brasileiros — 146
55. O Brasil dos outros — 148
56. Brasil recalcado — 149
57. Terra de ninguém simbólica — 150
58. O Brasil para brasileiros — 152
59. O Brasil contemporâneo — 153
60. Alteridade, redes sociais e a questão indígena no Brasil — 158
61. A internet e a questão indígena como retorno do recalcado — 162
62. Redes sociais — Círculo cínico, senso comum, laboratório de alteridade — 166
63. Contraconsciência do assassinato — 171
64. Uma verdade outra, um outro in-comum — 175
65. Reconhecimento — 178
66. A violência hermenêutica e o problema filosófico do outro — 181
67. A paranoia da autorreferencialidade — 190

Bibliografia — 193

Apresentação

Rubens R. R. Casara

Há uma fábula oriental que apresenta a história de um homem que, enquanto dormia, teve a boca invadida por uma serpente. A serpente alojou-se no estômago, de onde passou a controlar a vontade do homem. A liberdade desse infeliz desapareceu; ele estava à mercê da serpente, já não se pertencia: a serpente era a responsável por todos os seus atos. Um dia, o homem acorda e percebe que a serpente havia partido e que, novamente, era livre. Deu-se conta, então, que não sabia mais o que fazer da sua liberdade, que havia perdido a capacidade de desejar, de agir autonomamente. Em *A Instituição negada*, Franco Basaglia resgata essa breve história para concluir que, nesta sociedade, somos todos escravos da serpente e que se não tentarmos destruí-la ou vomitá-la, nunca veremos o tempo da reconquista do conteúdo humano de nossa vida.

As diversas manifestações neofascistas e o crescimento de posturas autoritárias parecem confirmar a hipótese de Basaglia: não há razão para temer o ovo da serpente, pois a serpente já existe e está dentro de cada um de nós. Em outras palavras, há uma tradição autoritária, uma cultura (essa "segunda natureza"), que coloca cada um na posição de um fascista em potencial.

Esse "fascismo potencial", aliás detectado e analisado na pesquisa conduzida por Theodor W. Adorno e retratada em seus estudos sobre a personalidade autoritária, que está presente no psiquismo de cada indivíduo, faz com que práticas fascistas sejam facilmente naturalizadas. O fascismo, porém, não necessita de racionalizações, uma vez que se refere a dados intuitivos e imediatos, que não dependem de reflexão (ao contrário, o fascismo se alimenta de dados que não suportam qualquer juízo crítico), e, portanto, aptos a serem incorporados por todos e, com mais facilidade, pelos mais ignorantes.

Fascismo, aliás, é uma palavra que precisa ser bem compreendida. Ela se origina de *fascio* (do latim *fascis*), símbolo da autoridade dos antigos magistrados romanos, que utilizavam feixes de varas com o objetivo de abrir espaços para que passassem (exercício de poder sobre o corpo do indivíduo que atrapalhava o caminho). Em sua origem, portanto, os feixes eram instrumentos a serviço da autoridade e, por essa razão, passaram a ser utilizados como símbolos do poder do Estado. Não por acaso, durante o regime fascista italiano (Fascismo Clássico) essa insígnia foi recuperada com o objetivo de simbolizar a força em torno do Estado.

O fascismo recebeu seu nome na Itália, mas Mussolini não estava sozinho. Diversos movimentos semelhantes surgiram no pós-guerra com a mesma receita que unia voluntarismo, pouca reflexão e violência contra seus inimigos. Hoje, parece que há consenso de que existe(m) fascismo(s) para além do fenômeno italiano ou, ainda, que o fascismo é um amálgama de significantes, um "patrimônio" de teorias, valores, princípios, estratégias e práticas à disposição dos governantes ou de lideranças de ocasião (que podem, por exemplo, ser fabricadas pelos detentores do poder político ou econômico, em especial através dos meios de comunicação de massa).

Para seus idealizadores e teóricos, o fascismo era uma ideia política com peso semelhante ao do socialismo ou do liberalismo. O discurso legitimador das práticas fascistas é de que a ideia que leva a essa prática (que, em regra, não se assume fascista) não teria surgido de abstrações teóricas, mas da necessidade de ação (da vontade de conquista). Hoje, os neofascistas se contentam em disseminar o ódio contra o que existe para conquistar o poder e/ou impor suas concepções de mundo, sem maiores preocupações com a formulação de um projeto alternativo (por vezes, apostam em projetos reacionários de retorno a um passado mítico marcado por desejos de "ordem" e "pureza", na verdade, uma representação que funciona como "fantasia", capaz de dar conta e suporte ao desejo fascista).

O fascismo possui inegavelmente uma ideologia: uma ideologia de negação. Nega-se tudo (as diferenças, as qualidades dos opositores, as conquistas históricas, a luta de classes etc.), principalmente, o conhecimento e, em consequência, o diálogo capaz de superar a ausência de saber. O fascismo é cinza e monótono, enquanto a democracia é multicolorida e em constante movimento. A ideologia fascista, porém, deve ser levada a sério, pois, além de nublar a percepção da realidade, produz efeitos concretos contrários ao projeto constitucional de vida digna para todos.

Os fascistas, como já foi dito, talvez não saibam o que querem, mas sabem bem o que não suportam. Não suportam a democracia, entendida como concretização dos direitos fundamentais de todos, como processo de educação para a liberdade, de governo através do consenso, de limites ao exercício do poder e de substituição da força pela persuasão. Essa mistura de pouca reflexão (o fascismo, nesse particular, aproxima-se dos fundamentalismos, ambos marcados pela ode à ignorância) e recurso à força (como resposta preferencial para os mais variados problemas sociais) produz reflexos em toda a sociedade.

No fascismo, há uma tentativa de edificação de um Estado total, isto é, um Estado que se sobreponha ao indivíduo a ponto de anulá-lo. Não por acaso, a intolerância torna-se uma constante, o que leva à repressão da diferença (revela-se, pois, natural que sexistas e homofóbicos identifiquem-se com projetos neofascistas). Nega-se, portanto, a alteridade e acentua-se a criação e a preocupação com os "inimigos", com aqueles que criticam ou não acatam as posições dos fascistas.

Outra característica marcante é o fato do fascismo se apresentar como um fenômeno natural. O fascismo e as práticas fascistas aparecem para os seus adeptos como consequências necessárias do Estado ou da vida em sociedade, dessa relação entre homens que dominam outros homens através do recurso à violência. Assim, como toda forma de ideologia, o fascismo não é percebido como tal por seus agentes: tem-se, então, a naturalização de práticas fascistas, mesmo em ambientes formalmente democráticos.

As práticas fascistas revelam uma desconfiança. O fascista desconfia do conhecimento, tem ódio de quem demonstra saber algo que afronte ou se revele capaz de abalar suas crenças. Ignorância e confusão pautam sua postura na sociedade. O recurso a crenças irracionais ou antirracionais, a criação de inimigos imaginários (a transformação do "diferente" em inimigo), a confusão entre acusação e julgamento (o acusador — aquele indivíduo que aponta o dedo e atribui responsabilidade — que se transforma em juiz e o juiz que se torna acusador — o inquisidor pós-moderno) são sintomas do fascismo que poderiam ser superados se o sujeito estivesse aberto ao saber, ao diálogo que revela diversos saberes.

Ao lado do ódio ao saber, o fascista revela medo da liberdade. O fascista desconfia, não sabe como exercê-la (e não admite que outros saibam ou tentem), razão pela qual aceita abrir mão da liberdade (e quer o fim da liberdade alheia) para fundir-se com algo (um movimento, um grupo, uma instituição etc.) ou alguém a fim de adquirir a força que acredita ser necessária para resolver seus problemas (e os problemas — reais ou imaginários — que vislumbra na sociedade). O fascista apresenta compulsão à submissão e, ao mesmo tempo, à dominação (é um submisso, que demonstra dependência com poderes ou instituições externas, mas que, ao mesmo tempo, quer dominar terceiros e eliminar os diferentes), é um masoquista e um sádico, que não hesita em transformar o outro em mero objeto e goza ao vê-lo sofrer.

Diante dos riscos do fascismo, o desafio é confrontar o fascista com aquilo que para ele é insuportável: o outro. O instrumento? O diálogo, na melhor tradição filosófica atribuída a Sócrates. Metaforicamente, com Basaglia, isso significa vomitar a serpente capaz de conduzir nossas vidas ao fascismo e, o que é ainda mais difícil, ajudar o outro, aquele que identificamos como fascista, a destruir e vomitar a sua serpente. Talvez esse seja o objetivo do diálogo proposto pela filósofa Marcia Tiburi em suas reflexões sobre o cotidiano autoritário brasileiro.

Neste livro, a autora resgata a política como experiência de linguagem, sempre presente na vida em comum, e investe nessa operação, que exige o encontro entre o "eu" e o "tu", apresentada como fundamental à construção democrática. De fato, a qualidade e a própria existência da forma democrática dependem da abertura ao diálogo, da construção de diálogos genuínos — que não se confundem com monólogos travestidos de diálogos — em que a individualidade e os interesses de cada pessoa não inviabilizam a construção de um projeto comum, de uma comunidade fundada na reciprocidade e no respeito à alteridade.

Ao tratar da personalidade autoritária, dos microfascismos do dia a dia, do consumismo da linguagem, da transformação de pessoas em objetos, da plastificação das relações, da idiotização de parcela da população, dentre outros fenômenos perceptíveis na sociedade brasileira, Marcia Tiburi sugere uma mudança de atitude do um-para-com-o-outro.

Nos diversos ensaios deste livro, a autora conduz o leitor para um processo de reflexão e descoberta dos valores democráticos, bem como desvela as contradições, os preconceitos e as práticas que caracterizam os movimentos autoritários em plena democracia formal.

Mas não é só.

Ao propor que a experiência dialógica alcance também os fascistas, aqueles que se recusam a perceber e aceitar o outro em sua totalidade, Marcia Tiburi exerce a arte de resistir. Dialogar com um fascista, e sobre o fascismo, forçar uma relação com um sujeito incapaz de suportar a diferença inerente ao diálogo, é um ato de resistência. Confrontar o fascista, desvelar sua ignorância, fornecer informação/conhecimento, levar esse interlocutor à contradição, desconstruindo suas certezas, forçando-o a admitir que seu conhecimento é limitado, fazem parte do empreendimento ético-político da autora, que faz neste livro uma aposta na potência do diálogo e na difusão do conhecimento como antídoto à tradição autoritária que condiciona o pensamento e a ação em *terra brasilis*. O leitor, ao final, perceberá que não só o objetivo foi alcançado como também que a autora nos brindou com um texto delicioso, original, profundo sem ser pretensioso. Pela importância e atualidade de seu conteúdo, esta publicação se torna imprescindível. Parabéns ao leitor que a adquiriu.

Sobra um último ponto, ou, se preferirem, uma confissão: o autor desta apresentação é completamente apaixonado pela autora.

Prefácio à 13ª edição

Desde a publicação da primeira edição de Como *conversar com um fascista* em 2015, não canso de justificar a eleição do termo pelo qual fui constantemente criticada. Apesar dos muitos leitores que viram no livro um apoio para seguir lutando pela democracia, aos quais agradeço pela leitura, não faltou quem achasse que a expressão era um exagero. Aos que perceberam o elemento irônico do título, eu só tenho a agradecer.

Naquela época, cheguei a brincar com algumas pessoas sobre o meu "complexo de Cassandra", aquela personagem das narrativas míticas amaldiçoada por fazer previsões nas quais ninguém acreditava. No livro, eu não anunciava o fascismo como se fosse uma novidade, apenas o constatava como um traço na subjetividade contemporânea que, se continuasse sem freios, poderia nos atropelar. Com o olhar atento que deve caracterizar a atividade filosófica, reflexiva e crítica, apontei diversos momentos, eventos discursivos ou ações nos quais havia sinais de configuração subjetiva da personalidade em tudo idêntica ao que, em outros tempos, foi chamado de fascismo. Não insisti no termo neofascismo, porque, de fato, não havia nele nada de realmente novo.

Também não me ative à análise do fascismo de Estado, aos líderes políticos, embora mencione alguns. Em livro posterior, *Ridículo político*, falo muito mais dos personagens da política que se capitalizaram por meio do discurso de ódio, sobretudo o discurso disfarçado de zombaria, de graça, tais como os de Jair Bolsonaro, aquele que fala sem que as pessoas acreditem nas barbaridades que diz e, mesmo assim, votam nele. Em *Como conversar com um fascista*, me refiro ao fascismo enquanto formação subjetiva da personalidade, enquanto característica do ser humano ordinário, no mesmo sentido em que Theodor Adorno se referiu à "personalidade autoritária" que estava na base do tipo humano do "fascista em potencial".

"Fascista" é termo adequado para definir o representante de um discurso vazio de reflexão, mas cheio de preconceito e ódio, que assume diversas características estereotipadas. Alguém que, por exemplo, segue um líder destrutivo a pregar ódio, que se identifica com esse líder, alguém que não tem capacidade de amar, de ter compaixão pelo outro, além de ser incapaz de raciocínios complexos. Fascismo é, neste livro, um padrão de pensamento caracterizado pela repetição de clichês e pelo esvaziamento da reflexão. O fascista é o sujeito ativo do mal banal, um ativista do mal cotidiano, aquele que distorce as falas alheias, que vive de fazer "fake news", de fomentar o rascismo e o machismo, e que se orgulha disso. Ele é um manipulador, alguém que se vê como uma coisa e pensa que os outros também são coisas e não pessoas humanas. Ele é masoquista e sádico ao mesmo tempo. Seu comportamento também é esterotipado: ele é conservador por falta de raciocínio e cínico ao mesmo tempo. A incapacidade de amar, de relacionar-se com um outro de igual para igual mostra a lacuna da dimensão oblativa. O outro é apagado mentalmente. Depois pode ser apagado na realidade, já que, segundo a perspectiva fascista, ele não deveria existir. Mata-se uma pessoa e depois rasga-se a placa de rua que leva o seu nome, como aconteceu com a vereadora Marielle Franco, que representava tanto para tanta gente. O ódio ao outro se torna a base da subjetividade em um meio mental e emocional de frieza extrema. Esse ódio se expressa na prática discursiva e é estimulado e manipulado por ela.

No entanto, não é o fascista como cidadão ordinário que manipula o ódio. O sujeito autônomo, o indivíduo com sua visão de mundo particular, deixa de existir ao ser usado como parte da massa. Os meios de comunicação têm um papel fundamental nesse processo. No Brasil atual, perderam-se os limites das produções discursivas e, lançados em uma histeria coletiva, os cidadãos se entregam ao ódio a partir de mecanismos que escapam ao seu controle. O que a televisão sempre fez é o que as redes sociais fazem hoje, só que em uma escala infinitamente maior.

Infelizmente, o fascismo está entre nós mais uma vez, agora de forma declarada e explícita. Em diversos países e cidades do mundo, ele ressurge na expressão coletiva de autoritarismo exacerbado. A forma desavergonhada do discurso de ódio — com ameaças de violência e morte — e de suas práticas continua sua trajetória, e sem mediações segue a eleger políticos sem capacidade alguma para legislar ou governar. O clima de barbárie que, desde alguns momentos catastróficos, pensávamos ter sido superado e que nunca mais iria se repetir parece incontornável, e o medo toma conta.

Da Europa às Américas, de norte a sul, cresce o ódio ao diferente e às pessoas marcadas como socialmente indesejáveis, e desaparece o respeito ao singular que caracterizou a perspectiva democrática, sempre frágil e nunca suficientemente consolidada em lugar algum do planeta. Menos ainda em nosso país. A ideia do direito e da justiça cede lugar à barbárie. Uma atmosfera sombria escreve adeus à civilização em letras de sangue pelos muros invisíveis das grandes cidades. Na Itália e na Alemanha, grupos fascistas se rearticulam amparados em suas próprias origens. Na França, a cultura de esquerda, historicamente crítica ao fascismo, perde espaço para uma extrema direita estupidificante. Nos Estados Unidos, um muro concreto se ergue na fronteira para evitar a passagem do estrangeiro. No Brasil e no restante da América Latina, o discurso de ódio é manipulado nos meios de comunicação de massa e golpes de Estado se tornam prática comum de uma extrema direita capaz de devorar o adversário político desrespeitando limites constitucionais básicos. O fascismo nos trópicos surge renovando o espírito capitalista da colonização que vem de longe.

Encarceramento em massa, trabalho escravo, matanças por todo lado. Se há jovens negros assassinados diariamente no Brasil, há palestinos na faixa de Gaza e mulheres estupradas e mortas em números aterradores mundo afora. O núcleo de toda violência contra a diferença é o ódio, que, no extremo de sua expressão, se apressa em aniquilar o outro. Uma crescente cultura do assédio sexual e moral se estabelece no mundo das corporações como se as pessoas devessem todas se submeter a uma nova regra, a de que haverá atrocidades para todos os que não se submeterem. Tudo isso redesenha o "senso fascista" de nossa época sem que se saiba como contrapor práticas capazes de frear esse sentido infeliz da história humana. Em contextos diversos, presos políticos surgem em nome de uma Razão de Estado que naturaliza o estado de exceção transformado em regra.

A política institucional ou cotidiana volta a ser mais questão de violência e menos de poder. As afetividades negativas além do ódio — a inveja, o ressentimento, a avareza — estão em cena mais uma vez, potencializadas para fins de controle ideológico e psicológico das populações novamente submetidas e escravizadas, desamparadas e abandonadas. A luta de classes cede lugar à guerra de todos contra todos. Os limites subjetivos que implicavam a vergonha por certos pensamentos preconceituosos desaparecem. O respeito ao outro deixa de ser uma questão; ninguém mais sequer toca nesse tema.

O fascismo como ideologia — e como prática — é sempre um fenômeno histórico, ou seja, modifica-se conforme as condições a partir das quais surge. Embora haja um nexo histórico evidente, a diferença entre os fascismos de outrora e o atual está nas suas condições de difusão: as novas tecnologias e a internet modificam o que chamamos de fascismo. Se o fascismo do século XX foi anterior à televisão, o novo não apenas conta com ela como, mais ainda, com a velocidade da difusão e da proliferaçao das ideias na internet. Não há fascismo sem propaganda, e as mais perfeitas e perversas condições estão dadas para o seu avanço nos tempos da razão publicitária.

Cabe, em nossa época, pensar a resistência, descobrir como será possível desviar o rumo ao qual nos levam os meios de comunicação, as redes sociais e a vida digital, máquinas e aparelhos hábeis em produzir esvaziamento subjetivo e que, assim, contribuem para a transformação do cidadão comum em fascista em potencial.

No cenário mundial, cabe perguntar pelo potencial do diálogo na reconstrução de um caminho democrático para a cultura cotidiana e a política institucional. O tempo é de alerta e de puxar o freio de mão da história mais uma vez.

Prefácio
Este livro é para o que nasce

Jean Wyllys

Alguns dizem que a história de um povo ou nação tem um movimento pendular; outros dizem que ela se move numa espiral, ora ascendente ora descendente (confesso que eu prefiro esta segunda alegoria). Qualquer que seja o movimento dessa história, ideias que estiveram encarnadas em pessoas e episódios que fizeram sofrer indivíduos e/ou coletivos costumam retornar como fantasmas ou assombrações desejando reencarnar. Este retorno exige a evocação de poderosos espectros que possam combater e espantar esses fantasmas, como em *Hamlet*, de William Shakespeare.

A maioria da população brasileira está há décadas alijada do direito a uma educação de qualidade que lhe faça cidadã com capacidade de pensamento crítico e de reconhecimento da diversidade cultural e humana. A ampliação do acesso ao sistema formal de educação — incluindo aí o ensino superior —, sobretudo na era Lula, não significou acesso a uma educação de qualidade. Muitas "universidades" e faculdades, principalmente privadas, têm diplomado analfabetos funcionais* por estabelecerem com os alunos

---

*De acordo com pesquisa divulgada em 2012 pelos Ministérios da Educação e da Cultura para a construção do Plano Nacional do Livro e da Leitura, 38% dos estudantes universitários brasileiros foram avaliados apenas como alfabetizados funcionais (níveis rudimentar e básico); este número atingia 23% dos universitários em 2001. O número de universitários plenamente alfabetizados, por outro lado, declinou de 76% em 2001 para 62% em 2011. Certamente a ausência da competência plena de leitura prejudica o desempenho dos estudantes brasileiros em todas as áreas de conhecimento, indicando a necessidade clara da intensificação de medidas que priorizem o acesso à leitura plena em todos os níveis como uma das formas mais consistentes de apoiar a melhoria da qualidade da educação em nosso país.

uma relação pautada no direito do consumidor. Mais de 70% dos brasileiros não leem livros. A maioria se informa apenas por tevês e rádios, que, pela própria dinâmica da comunicação de massa, não aprofundam as questões de interesse público e divulgam as informações de acordo com interesses políticos e financeiros de seus concessionários ou administradores. Ao mesmo tempo, e graças à inclusão via consumo de bens materiais garantida pelas políticas sociais da assim chamada "Era Lula", parte expressiva e crescente dessa maioria plugou-se na internet — um dilúvio de informações falsas e verdadeiras nem sempre fáceis de distinguir para alguém sem repertório cultural ou habilidade em interpretar texto — e se organizou em redes sociais digitais por meio de novas tecnologias da comunicação e da informação, como os smartphones. Ora, isso só poderia levar esse contingente a aderir aos discursos demagógicos e manipuladores que interpelam preconceitos e sensos comuns históricos e propõem soluções fáceis, mas mentirosas e/ ou autoritárias para as questões complexas que nos envolvem diariamente, como a criminalidade e a violência urbanas, as desigualdades social e de gênero, as tensões raciais, a diversidade de orientação sexual e identidade de gênero, a intolerância religiosa, a mobilidade urbana, os conflitos agrários e os desastres ambientais. Essa situação acrescida da lógica egoísta — "farinha pouca, meu pirão primeiro" — que as crises econômicas e/ou financeiras como a que estamos vivendo costumam trazer são provas irrefutáveis do retorno e reencarnação de um fantasma perigoso chamado fascismo.

Diante desse mal, há que se evocar espectros que possam exorcizá-lo. A filosofia e as ciências humanas não podem, portanto, abrir mão da responsabilidade de evocar a razão iluminista, o conhecimento científico, a honestidade intelectual, as liberdades civis e a democracia. É o que faz a filósofa Marcia Tiburi neste *Como conversar com um fascista — reflexões sobre o cotidiano autoritário brasileiro*, num texto que impressiona pela combinação da profundidade e sofisticação intelectuais com uma enorme generosidade com o leitor que não compartilha de seu repertório cultural. Portanto, este livro é para o que nasce!

Preocupada com o fascismo que vem afetando a política brasileira nos últimos cinco anos e ciente de que este costuma prescrever a eliminação simbólica e/ou física dos "inimigos" que constrói como forma de se "justificar", Marcia Tiburi propõe o diálogo como forma de resistência à banalização do mal a que assistimos atônitos, indiferentes ou indignados, ou para a qual damos nossa contribuição, seja em forma de postagens ou comentários no Facebook, seja em ações concretas contra o outro (como, por exemplo, chutar e insultar dois garotos negros rendidos pela polícia apenas porque envolvidos numa briga de colegiais que assustou frequentadores de um shopping de luxo).

A filósofa judia Hannah Arendt cunhou a expressão "banalidade do mal" quando analisou o julgamento de Eichmann, um dos nazistas levados ao tribunal. Com esta expressão, a filósofa se referia ao mal que não é enraizado (que não é "radical", para usar a expressão de Kant) nem praticado como atitude deliberadamente maligna. A banalização do mal é feita pelo ser humano comum que não se responsabiliza pelo que faz de ruim ou acha que o que faz de ruim não tem consequências para os outros; não reflete, não pensa.

Arendt se referiu a Eichmann como uma pessoa tomada pelo "vazio do pensamento"; como um imbecil que não pensava; que repetia clichês e era incapaz de um exame de consciência — e que, por tudo isso, banalizava o mal que praticava. A banalidade do mal pode, portanto, ser feita por qualquer pessoa carente de pensamento crítico e, por isso, insensível à dor do outro e às consequências de seus atos.

O fascista é aquele que banaliza o mal. Para Marcia Tiburi, ele é burro na medida em que não acessa o campo do outro porque lhe falta conhecimento e imaginação para tal. A burrice é o cancelamento do processo de conhecimento e de imaginação. Nesse sentido — e para usar as palavras da própria filósofa — "o fascismo é a máscara mortuária do conhecimento".

Outro aspecto desse mal apontado por Tiburi é o analfabetismo político. O dramaturgo Bertolt Brecht afirmou, num texto memorável, que "o pior analfabeto é o analfabeto político". Concordo com esta afirmação desde o momento em que a conheci — já consciente de que eu era um "animal político", para citar a expressão de Aristóteles. Porém, porque os tempos eram outros (e, naqueles tempos, o dramaturgo alemão sequer sonhava com as transformações sociais, culturais e tecnológicas de que somos testemunhas, promotores e produtos), Brecht definia o analfabeto político como aquele que "não ouve, não fala, nem participa dos acontecimentos políticos"; aquele que "é tão burro que se orgulha e estufa o peito dizendo que odeia a política". Dessa definição brechtiana do analfabeto político, a única característica que sobrevive aos dias atuais é o proclamado e contraditório ódio à política, analisado por Tiburi com acuidade e sem condescendências nas páginas seguintes.

"O que leva um indivíduo a reunir-se em um coletivo sem pensar com cuidado crítico nas causas e consequências dos seus atos configura aquilo que chamamos de analfabetismo político. Mas, no caso dos personagens jovens que surgem atualmente, líderes do fascistoide Movimento Brasil Livre, está em jogo a forma mais perversa de analfabetismo político. Aquele de quem foi manipulado desde cedo e não teve chance de pensar de modo autocrítico porque sua formação foi, no sentido político, 'de-formação', a interrupção da capacidade de pensar, de refletir e de discernir", argumenta.

Mas, sem discordar de Tiburi e apenas dando minha modesta contribuição para a sua excelente e necessária reflexão, digo que, por causa das transformações sociais, culturais e tecnológica que experimentamos, o "analfabeto político" dos dias atuais é bem diferente daquele dos tempos de Brecht. O analfabeto político da atualidade fala e participa dos acontecimentos políticos mesmo renunciando à tarefa de se informar melhor sobre eles ou partindo de preconceitos, boatos ou mentiras descaradas sobre tais acontecimentos.

O analfabeto político da contemporaneidade — ao contrário daquele dos tempos de Brecht — participa dos acontecimentos políticos "opinando" sobre eles nas redes sociais digitais sem qualquer cuidado crítico. Eu poderia recorrer a muitos exemplos do atual comportamento do "analfabeto político", mas, para encurtar este prefácio, já que o que interessa mesmo é o texto de Marcia Tiburi, vou me restringir a uma das muitas estupidezes escritas em minha página no Facebook por ocasião da aprovação do Marco Civil da Internet: "O marco servil [*sic*] vai acaba [*sic*] com o facebook e traze [*sic*] o comunismo vai manda [*sic*] mata [*sic*] todo mundo começando por você seu viado filhodaputa [*sic*]". Este comentário é um exemplo do analfabetismo político contemporâneo, mas é também o sintoma de uma ameaça à democracia e à vida com pensamento: a maioria dos "analfabetos políticos" que vociferaram nas redes sociais digitais, principalmente a maioria daqueles que fazem menção ao "comunismo" ou ao "socialismo", deixaram claro quais as fontes de suas afirmações acerca do acontecimento em questão: os colunistas da revista marrom semanal; o senil reacionário que se diz "filósofo"; e a família de parlamentares (deputado federal, deputado estadual e vereador) que parasita o poder público para difamar adversários e estimular o fascismo. Nesse sentido e apesar da virulência e arrogância com que afirma sua ignorância, o "analfabeto político" é uma vítima daquele que Brecht considera "o pior de todos os bandidos": o político vigarista, desonesto intelectualmente, corrupto e lacaio das grandes corporações.

Portanto, é preciso ter alguma compaixão pelo analfabeto político: insistir na luta para que ele tenha acesso a educação de qualidade e às artes, em especial às artes vivas, com destaque para o teatro. É preciso insistir no diálogo com o fascista. Mas isso é possível? Como conversar com um fascista? Leia este livro e você terá as respostas.

1. Questões preliminares: experiência política e experiência da linguagem ou o diálogo como desafio

Como conversar com um fascista — reflexões sobre o cotidiano autoritário brasileiro reúne reflexões sobre o estado psicopolítico e cultural de nossa época. O pressuposto que estrutura essas reflexões é que a política define-se como experiência de linguagem e que a qualidade dessa experiência nos une ou nos separa, tornando-nos seres políticos ou antipolíticos.

Se nosso ser político se forma em atos de linguagem, precisamos pensar nessa formação quando o empobrecimento desses atos se torna tão evidente. O autoritarismo é o sistema desse empobrecimento. Ele é o empobrecimento dos atos políticos pela interrupção do diálogo. Interrupção que se dá, por sua vez, pelo empobrecimento das condições nas quais o diálogo poderia acontecer. Essas condições são materiais e concretas. Elas referem-se a mecanismos, na forma de dispositivos criadores de hábitos, que impedem as práticas de diálogo. Esses dispositivos são criados por racionalidades que operam na linguagem. A linguagem está como que fora e dentro das pessoas, forjando-as e sendo forjada por elas. O diálogo é uma atividade que nos forma e que é formada por nós. É um ato linguístico complexo capaz de promover ações de transformação em diversos níveis. Poderíamos nos perguntar o que acontece conosco quando entramos em um diálogo e o que acontece caso isso não seja possível. O diálogo é uma prática de não violência. A violência surge quando o diálogo não entra em cena.

O que chamo de fascista é um tipo psicopolítico bastante comum. Sua característica é ser politicamente pobre. O empobrecimento do qual ele é portador se deu pela perda da dimensão do diálogo. O diálogo se torna impossível quando se perde a dimensão do outro. O fascista não consegue relacionar-se com outras dimensões que ultrapassem as verdades absolutas nas quais ele firmou seu modo de ser. Sua falta de abertura, fácil de reconhecer no dia a dia, corresponde a um ponto de vista fixo que lhe serve de certeza contra pessoas que não correspondem à sua visão de mundo preestabelecida. A outra pessoa é o que o fascista não pode reconhecer como outro. O outro é reduzido a uma função dentro do círculo no qual o fascista o enreda. Talvez como a aranha que vê na mosca apenas o alimento que lhe serve e que precisa ser capturado em uma teia. Mas essa imagem seria ingênua, pois o fascista é capaz de olhar para o outro com tanto ódio que até mesmo perde o senso de utilidade. O outro negado sustenta o fascista em suas certezas. O círculo é vicioso. A função da certeza é negar o outro. Negar o outro vem a ser uma prática totalmente deturpada de produção de verdades.

Fechado em si mesmo, o fascista não pode perceber o "comum" que há entre ele e o outro, entre "eu e tu". Ele não forma mental e emocionalmente a noção do comum, por que, para que esta noção se estabeleça, dependemos de algo que se estabelece com uma abertura ao outro. Fascista é aquela pessoa que luta contra laços sociais reais enquanto sustenta relações autoritárias, relações de dominação. Às vezes por trás de uma aparência esteticamente correta de justiça e bondade. Mesmo em circunstâncias esteticamente as mais corretas, e politicamente as mais decentes, o ódio é uma força que tende a falar bem alto. O fascista usa o afeto destrutivo do ódio para cortar laços potenciais, ao mesmo tempo que sustenta, pelo ódio, a submissão do outro. Como personalidade autoritária, ele luta contra o amor e as formas de prazer em geral. Um fascista não abraça. Ele não recebe. É um sacerdote que pratica o autoritarismo como religião e usa falas prontas e apressadas que sempre convergem para o extermínio do outro, seja o outro quem for.

Refiro-me ao elemento "psicológico" de nossas experiências políticas, nossa vida em comum, sem nenhuma pretensão psicanalítica ou hermenêutica. Eu poderia escrever a palavra "ética" para me referir à esfera psicológica que antigamente era chamada de moral. Hoje, usamos o termo "ética" para falar dessa questão, mas justamente enquanto a moral é o que se questiona por meio da ética. Quando pergunto como alguém se forma, como alguém se torna o que é, e como é, estou na esfera da ética. O que está em jogo é a experiência subjetiva das pessoas que se encontram entre si e podem ou não entrar em um processo dialógico, na forma de ser de cada um, no que podemos chamar de formação da subjetividade. Subjetividade, por sua vez, é uma palavra usada aqui com a intenção de expressar o que é próprio de cada um, mas, mais ainda, o que cada um vive na pele. Refiro-me àquelas experiências que independem de nós e que vêm a nos machucar em níveis diversos. Isso de que somos feitos. O termo "interioridade" poderia nos dizer alguma coisa, mas seria pouco, pois a subjetividade implica também a "exterioridade". Implica o que está nos acontecendo e que transcende o que podemos compreender. Aquilo que está nos acontecendo enquanto algo perpetrado pelo outro, não apenas a pessoa física de um outro, mas as instituições, a sociedade, a cultura, o âmbito espiritual e simbólico em que nos tornamos quem somos, sem que estejamos jamais prontos e acabados. Por isso, a pergunta "o que estamos fazendo uns com os outros?" é tão importante. Do mesmo modo, a questão é também pensar o ato político como ato linguístico (sendo que todo ato linguístico é político) e perguntar o que estamos fazendo quando estamos dizendo coisas uns aos outros. Por que não existe política nem a forma antipolítica, que é o fascismo, sem práticas linguísticas, que constroem ou destroem a política.

A palavra autoritarismo é usada para designar um modo antidemocrático de exercer o poder. A centralidade da autoridade é o atributo ou a característica de um governo, de uma pessoa ou até mesmo de uma cultura, que fornece o núcleo gerador da ação no exercício do poder autoritário. Diálogo e participação coletiva em decisões são impensáveis no espectro do autoritarismo que se define pela imposição à força de leis que interessam a quem exerce o poder. O outro, seja o povo (Estado), seja o próximo (indivíduo), seja a sociedade ou outras formas de cultura, é manipulado, quando não violentado, tanto física quanto simbolicamente.

Talvez não tenha sido percebido ainda que o autoritarismo seja mais do que uma postura, ele é essencialmente um regime de pensamento. Uma operação mental que, em sentido amplo, se torna paradigmática agindo sobre a ciência, a cultura e o senso comum. O autoritarismo como regime de pensamento poderia ser superado por aquilo que podemos chamar de paradigma do pensamento democrático. Não o pensamento sobre a democracia, mas uma operação mental em si mesma democrática. Em ambos os casos, trata-se de modos de pensar, de ver o mundo e de um específico uso da linguagem que se efetiva em ações.

A operação de pensamento autoritária está profundamente arraigada em tudo o que fazemos e parece fortalecer-se em certas épocas. Essa operação se dá no apagamento da função oblativa (a função do outro). A atmosfera niilista evidente no espírito de nossos dias relaciona-se à solidão do pensamento que não encontra nada diferente dele para fecundar. A operação do pensamento autoritário é infértil e rígida, ela se basta em repetir o que está dado, pronto ou resolvido (mesmo que apenas aparentemente). O outro (seja o povo, seja o próximo, seja a cultura alheia, seja a natureza ou a sociedade, seja o outro como uma "voz" que não se quer ouvir) é apagado no processo mental, que é um processo de linguagem. Nesse processo, aquele que se constituiu como "sujeito autoritário" pensa (ou "des-pensa") a partir de falas prontas que ele toma como suas, mas que são introjetadas. O sujeito autoritário tem orgulho de seus pensamentos como se fossem verdades teológicas que somente ele detém. Daí que haja tanta gente autoritária professando verdades. Toda pessoa autoritária se sente meio sacerdote de alguma coisa. As falas autoritárias são como cacos colados à força para formar uma imagem mental sobre o mundo ao redor, um objeto, algo que se poderia tentar conhecer, mas que não é preciso conhecer, porque está de antemão, na ficção do autoritário, já conhecido. A operação propriamente dita do conhecimento que se entrega à novidade do objeto é, no entanto, desnecessária. Em outras palavras, podemos dizer que o sujeito autoritário "pergunta" e "responde" a si mesmo a partir de um ponto de vista previamente organizado no qual, a cada momento, o outro precisa ser descartado. Como se não existisse "outro" ponto de vista, outro desejo, outro modo de ver o mundo, outro que conhecer, ele procede mentalmente como o paranoico que detém todas as verdades antes de chegar a pesquisar o que as sustenta. E é claro que não dialoga com ninguém, porque a operação linguística que implica o outro é impossível para ele.

Quando escrevi o ensaio que dá nome ao livro, pensei em um experimento teórico-prático. Pensei em como desencadear a operação considerada impossível de conversar com alguém enrijecido em sua visão de mundo.

Alguém que não se dispõe a escutar. Alguém que não fala para dialogar, mas apenas para mandar e dominar. Alguém que se tornou o sacerdote das verdades de sua vida e das vidas alheias. Alguém que sabe tudo previamente e está fechado para o outro. Perdidos em suas ilhas, alguns estão muito certos de que as coisas não podem ser diferentes porque o mundo está pronto em seus sistemas de pensamento. Ora, sistemas de pensamento são sistemas de linguagem. O cerne do pensamento conservador que é, em seu íntimo, opressor está em um pano de fundo linguístico enrijecido. Um pano de fundo no qual o autoritário se camufla como uma mariposa que se defende dos predadores. Claro que o sacerdote do autoritarismo é, como todo paranoico, alguém que tem muito medo. Aquele que pensa que ele mesmo, o outro, a vida, a sociedade não podem ser diferentes não se abre ao diálogo. Há uma dimensão idealizadora e utopista em todo diálogo. Mas o fascista não quer saber disso ou sequer analisar esta hipótese. O outro, esse alguém que o agente fascista trata como ninguém, é diferença demais para sua cabeça cheia de ideias prontas e bem encaixadas no mesmo lugar de sempre.

O fascismo é a forma do autoritarismo quando ele se torna radical. Há em todo Estado essa semente porque a "ordem" em si mesma, a ordem própria ao Estado, é sua essência. No cotidiano, o autoritarismo sobrevive nas posturas e atitudes psíquicas ou moralmente rígidas. A frieza das posturas, pensamentos e ações, é, em seu íntimo, alimento do fascismo potencial. Toda a nossa incapacidade para amar em um sentido que valorize o outro é fonte do fascismo.

O autoritarismo da vida cotidiana é o conjunto de gestos tão fáceis de realizar quanto difíceis de entender. E ainda mais difíceis de conter. Em nossa época, crescem manifestações de preconceito racial, étnico, religioso, sexual, que pensávamos superadas. À direita e à esquerda, a partir de todos os credos, de todas as defesas que deveriam ser as mais justas e generosas. Ao mesmo tempo que idiossincrasias brutais se afirmam contra pessoas e grupos, sentimentos socialmente necessários, aqueles que se voltam para o outro na intenção de compreendê-lo, acolhê-lo — em uma palavra, amá-lo — não têm lugar entre nós. A mais básica abertura a uma conversa se torna inviável quando os indivíduos estão fechados em seus pequenos universos previamente formados e informados de tudo o que supõem saber.

Desaprendemos a conversar e somos incapazes de constituir um cenário ético-político diferente. O problema é, afinal, nesse contexto discursivo, sempre do outro. O outro, esse alguém que tratamos como se não fosse ninguém, é o desafio ético-político em uma sociedade que trabalha pela garantia de direitos fundamentais e pelo respeito à singularidade. O desafio do outro, de conversar com esse outro para quem facilmente nos fechamos, eis o que se propõe nas páginas que seguem.

Precisamos tentar intensamente o diálogo que está tão esquecido e faz muita falta entre nós. O diálogo é uma prática de escala miúda que poderia inspirar escalas maiores. Instaurador do comum, ele deveria ser a base de uma ética do dia a dia, aquele lugar do me tornar quem sou. A ética seria uma boa base de construção de outra política. Talvez o experimento que deu início a este livro pudesse se tornar um método existencialmente útil no cotidiano. Ele nos faria resistir ao autoritarismo de nossa época, ao avanço do fascismo do dia a dia. Penso agora que, se esse experimento não alcançar sucesso na arte de conversar com um fascista, que possa nos afastar do fascismo em nossa própria autoconstrução. Se puder colaborar com isso, então o esforço teórico e prático que o engendrou não terá sido em vão.

2. Como conversar com um fascista

O genocídio indígena, o massacre racista e classista contra jovens negros e pobres nas periferias das grandes cidades, a violência doméstica e o assassinato de mulheres, a homofobia, a manipulação das crianças, em palavras simples, o *ódio ao outro* cresce em uma sociedade em que está em jogo também o extermínio da política. Podemos dizer que as pessoas, indivíduos e grupos, odeiam, sobretudo, a política e que os políticos (salvaguardando exceções) odeiam o povo se quisermos pensar no ódio em nível praticamente sistêmico. Podemos nos colocar a questão quanto ao risco de que o ódio se torne estrutural, que venha a dar base a todas as nossas relações. Nesse contexto, a política é destruída sistematicamente em duas linhas: pelos políticos que a transformam em burocracia; pelo povo que a negligencia e se desinteressa dela. Talvez a destruição da política seja a verdade oculta na razão de Estado atual. Todos sabem, mesmo que não tenham palavras para expressar, que a política foi transformada em burocracia e que os governantes garantem burocraticamente seu emprego eterno estimulando o ódio nacional ao poder público. Não há maneira melhor de destruir a política do que fazendo uso eficiente do ódio.

Para destruir o outro é preciso destruir a política. Para destruir a política é preciso destruir o outro. Destruir o outro garante o fim de sujeitos de direitos e o fim do direito dos sujeitos. É preciso humilhar e aviltar pessoas e populações evitando assim a realização da democracia que propõe uma sociedade inclusiva para todos. Ao mesmo tempo, nesses contextos é útil usar a palavra democracia magicamente, como se já estivesse realizada.

Como se manipula o ódio? É muito simples. Por um processo de intrigas miúdas e de fomento à insuportabilidade da diferença. Quem sente ódio antes sentiu medo e antes ainda sentiu inveja. Temer se torna um verbo intransitivo. Assim como invejar. Na cultura da inveja e do medo não é preciso saber por que se inveja e se teme. É preciso invejar e temer intransitivamente. Falaremos mais sobre isso no capítulo final. Por enquanto precisamos saber que os investimentos afetivos são em idiossincrasias. As diferenças de classe, raça, gênero e sexualidade, além do padrão da normalidade física, são o foco do afeto odiento que não resiste sem a inveja e o medo. É preciso intensificar a diferença através de sua própria marcação para se localizar um alvo contra o qual agir por palavras e atos.

Podemos assim dizer que o ódio transita entre nós. Mas o curioso é que isso não acontece somente de maneira inconsciente. Há algo assustador no ódio contemporâneo. Não se tem vergonha dele, ele está autorizado hoje em dia e não é evitado. A estranha autorização para o ódio vem de uma manipulação não percebida a partir de discursos e de dispositivos criadores desse afeto. Somos seres capazes de amar e odiar. O motivo pelo qual amamos é inversamente proporcional ao porque odiamos. No primeiro caso construímos, no segundo, destruímos.

Ora, sabemos que os afetos são sempre aprendidos. Eles se formam em nós por experiências. O fascista é impotente para o amor porque viveu experiências de ódio. Experiências sensíveis e intelectuais. Ele introjetou o ódio muito antes de poder pensar nele. Sempre pensamos o que pensamos motivados por elementos afetivos. Todos os pensamentos de quem sistematicamente odeia como o fascista têm como fundamento as potências violentas do ódio.

Sabemos que é preciso exterminar a política para que o capitalismo no seu estilo selvagem (tendencialmente, sempre selvagem e bárbaro) se mantenha: poucos muito ricos, muitos explorados, outros tantos cada vez mais afundados na via da miserabilidade. O extermínio é calculado: quem não produz e consome segundo os padrões do "capital" não tem lugar. O ódio gera um não lugar, o espaço habitado pelo excluído que não é um lugar político, mas antipolítico. A luta dos excluídos é por saírem desse lugar ganhando voz e chance de sobreviver. Em uma política verdadeiramente democrática deveria haver lugar para todos, para vários modos de produção da existência e de subsistência que não precisassem seguir o ordenamento do capital, voltado a si mesmo, apenas à sua própria manutenção e reprodução a partir da devoração do outro. Núcleo substancial, verdadeiramente teológico, do capitalismo, o capital é uma espécie de unidade absoluta a que tudo serve. A violência gerada ao seu redor para sustentá-lo não tem medidas.

A democracia deveria ser a contraposição a essa unidade absoluta, mas ela é manipulada no capitalismo como se fosse ela mesma essa unidade, o que de melhor poderia nos ter acontecido em termos sociopolíticos. Outra democracia, portanto, uma que se dispa de máscaras, está em jogo em uma crítica do capitalismo. Uma democracia como ruptura com os jogos de opressão, dominação e exploração seria a antecipação de um sonho. Essa democracia que não se tem e que, no entanto, se deseja é a que está em discussão. Uma democracia radical. No entanto, o próprio extermínio do desejo de democracia é essencial para a manutenção do sistema de opressão a que damos o nome de capitalismo que usa a democracia como uma máscara, uma fachada. Isso é possível por meio da mera propaganda da democracia que a reduz a mercadoria ao simplificá-la a discurso. Mas algo mais essencial que isso é necessário.

É nesse ponto que entra o autoritarismo efetivado na prática diária. O que podemos chamar de autoritarismo cotidiano. Ele é feito daquilo que alguns chamam de microfascismos. Do autoritarismo em geral depende o capitalismo. Mas ele não sobrevive se não é sustentado no cotidiano. Ao mesmo tempo, o cotidiano é um lugar em geral desprezado pelas críticas mais consistentes. Do autoritarismo depende o extermínio da democracia como desejo em nome de uma democracia enquanto fachada. Para exterminar a democracia como desejo é preciso que o povo odeie e é isso o que o autoritarismo é e faz. Ele é o cultivo do ódio, de maneiras e intensidades diferentes em tempos diferentes. Às vezes um ódio mais fraco, às vezes um ódio intenso servem à aniquilação do desejo de democracia.

3. Máquina de produzir fascistas — A origem e a transmissão do ódio

A expressão social do ódio nos deixa curiosos quanto a sua origem. Chamamos de ódio o afeto que se expressa como intolerância, violência projetiva ou, no extremo, declaração de morte ao outro. Pensamos que alguém — um Hitler qualquer — aciona o botão do ódio que liga a máquina de produzir fascistas que compõem a sociedade atual. Esta máquina é engrenagem organizada, uma espécie de dispositivo, que se utiliza do afeto odiento na orquestração do delírio coletivo ao qual a sociedade mesma é rebaixada. A aniquilação de certa ideia de sociedade, do senso do social, é sustentada no tipo de subjetividade fascista. A aniquilação da política é a aniquilação do social que precisa ser introjetada pela pessoa concreta, ela mesma cancelada como ser social. Seria necessário desenredar as amarras que sustentam o ódio delirante no qual ele foi envolvido como indivíduo quando acreditou que neste afeto residiria a verdade de sua experiência.

Podemos definir o ódio como uma emoção. Como algo passional. Daí a impressão, no âmbito de suas manifestações, de que ele seja um afeto primitivo e não cultural, que seja selvagem e não civilizado. A expressão do ódio parece, para muitos, a irrupção de algo irracional no seio de uma sociedade em si mesma razoável. Por isso, tendemos a vê-lo como algo de arcaico. No entanto, se o ódio irrompe no seio da sociedade civilizada em seu estágio tecnológico e, em nossa época, no ápice de tecnologia que é o digital, é porque, de algum modo, ele é parte dessa sociedade.

4. Afeto contagioso

A pergunta pela origem do ódio não pode ser respondida senão pelo recurso ao círculo vicioso que explica o surgimento de qualquer afeto: é o sentimento experimentado que gera o que é sentido. Isso quer dizer que a tendência a ver um afeto como particular e natural perde de vista o caráter social de sua constituição. Os afetos são aprendidos, são compartilhados entre pessoas. Os afetos fazem parte de processos de cognição e formação subjetiva. Aquele que experimentou amor responde com amor, aquele que experimentou o ódio responde com ódio. Amar se aprende amando. Odiar se aprende odiando.

Deste modo, não podemos falar da origem cronológica de um afeto. O ódio não é implantado como um chip em uma pessoa e não se explica por uma "personalidade" naturalmente odienta por oposição a uma "personalidade" naturalmente amorosa. Nada é natural. A compreensão do ódio torna-se possível se ficarmos atentos ao caráter genealógico da experiência do ódio. Ele surge a cada vez que nos deixamos afetar por ele. Do mesmo modo que nos deixamos afetar pelo amor. O ódio não é uma substância presente em algumas pessoas por oposição a outras, mas um afeto que se constitui na experiência partilhada com outros. "Como alguém pode ser tomado pelo 'ódio?'" é questão que se explica tendo em vista o caráter próprio às emoções, o de serem estranhamente contagiosas.

Quando falamos em afeto falamos do que "nos toca", daquilo que nos diz respeito, que nos concerne. O que "nos toca" refere-se ao que é de algum modo percebido, por ser comunicado, por ser transmitido. Trata-se daquilo que é partilhado, mas não apenas de "cima para baixo", como se tivéssemos, no caso do ódio, recebido uma ordem, consciente ou inconsciente, para senti-lo e nos expressarmos em seu nome.

Se pensarmos nos discursos de incitação à violência — uma das formas expressivas do ódio —, veremos que ela é transmitida de cima para baixo, como numa engrenagem acionada de fora. Líderes políticos, publicitários, jornalísticos e todos os que detêm o discurso podem ligar essa máquina incitando ao ódio. Mas o elemento "vertical" que liga a máquina movida pelo ódio não é suficiente para sustentá-lo, de modo que, para que o ódio persista, sua experiência precisa afirmar-se "horizontalmente", ou seja, precisa ser partilhada com os pares, com os outros que contribuem para a manutenção da máquina que, pelo fomento do ódio ao outro, transforma a todos em fascistas.

Assim, cada um é engrenagem da grande máquina de produzir fascistas alimentada com o combustível do ódio. Parar essa engrenagem só será possível para aquele que aprender que outro mundo, além da emoção perversa que tantos têm com o estado de coisas odiento, é possível.

A interrupção do funcionamento da máquina de produzir fascistas depende dessa potência até agora esquecida.

5. Paranoia como condição social

Há épocas em que predomina o amor e épocas em que predomina o ódio. O problema inevitável ao se teorizar sobre o amor e o ódio é a impossibilidade de avaliar aquilo que é subjetivo e que, no entanto, nos domina. Experimentamos o ódio sem entender dele e, por não entendê-lo, muitas vezes não temos recursos para estancá-lo.

Amor e ódio são dessas forças que, sendo opostas, ao mesmo tempo andam juntas compondo um jogo de forças. Às vezes se aproximam demais. São como duas linhas que tendem a se enroscar enquanto flutuam no vento histórico. Pensamos em "cronologia", em progresso e decadência, mas nos tocamos pouco dos afetos que costuram e descosturam o *continuum* da história. Ora, poderíamos escrever a história do amor e a do ódio considerando que não há período histórico que não seja regido por eles. Seria a história das influências afetivas nas ações e realizações humanas. Assim, por exemplo, poderíamos contar a história da relação entre a humanidade e a natureza pensando em como a primeira odiou a última. Ou como o próprio afeto odioso ou amoroso nos permite criar uma biografia.

Não seria sem propósito perguntar quando amamos mais, quando odiamos mais. As ondas de amor e ódio que sustentam e abalam as sociedades não podem ser controladas simplesmente, mas podem ser manipuladas. Esse controle é possível pela linguagem porque ela é a grande produtora de afetos. Por meio de mecanismos que só parecem sutis a quem se mantém ingênuo, fomenta-se o ódio em escala social pelo bombardeio de imagens terríveis, como as que vemos na televisão. A distorção de fatos para convencer o povo também se liga a essa estratégia de manipulação dos afetos por meio de discursos. Na origem de todo ódio está a básica fofoca, o assédio moral, a maledicência em geral.

Med'ódio

O modo como se produz o medo relaciona-se diretamente com a produção do ódio. São afetos associados. A sociedade que promove a insegurança — e vende "segurança" por todos os lados — depende do sucesso do medo. Medo da economia e da política e, em primeira instância, sempre o "medo do outro".

Em seu estado enrijecido, o medo pode se tornar paranoia. A paranoia devém ódio. Podemos então falar em medo-ódio. "Med'ódio" seria uma palavra muito feia para uma coisa que nos faz muito mal: uma espécie de odiar intransitivo, quase que odiar por odiar. Como visão de mundo, a paranoia serve à negação do outro a quem o paranoico deseja destruir. A origem da paranoia nos escapa, mas sabemos de seus efeitos: ódio para todos os lados, sem limites.

Em termos muito simples, podemos dizer que o amor é um horizonte de compreensão que tem em vista a real dimensão do outro, que não o inventa em uma projeção, que permanece aberta ao seu mistério. Se o amor é aberto ao outro, o ódio é fechado a ele. Tendemos a não querer ver o ódio que nos fecha porque ele nos diminui. "Não querer ver" é uma armadilha, pois todos somos afetados pelo ódio e contribuímos com a nossa parte para a sua persistência.

Pensamos que o ódio é sempre algo que está no outro e esse é um engano no qual cai apenas aquela pessoa que nunca imaginou que é o outro de um outro. Estamos tão ligados uns aos outros que somos capazes de perder a noção de nossas ligações. O inconsciente começa a agir por nós exatamente nesse ponto.

Quando falamos em afeto queremos dizer que algo "afeta", que nos contagia, que nos provoca. O ódio tem a forma de um miasma, ou seja, de uma atmosfera. Ele existe como um ar que se respira. Nos faz sentir coisas que talvez nunca tivéssemos sentido. Ora, o ódio não é um sentimento que estaria guardado dentro de nós, esperando para aparecer, mas uma experiência possível a cada instante no contato que temos com o outro que nos afeta. Nesse quadro geral, perguntar sobre o estado da experiência afetiva do ódio no mais íntimo de nós pode ser um bom começo para nos livrarmos dele.

6. Treino para o ódio

Há séculos dizemos que "o poder corrompe" como se tivéssemos sido treinados para essa citação formal, sem que saibamos muito sobre seu conteúdo. Do mesmo modo que muitos dizem "tudo o que não presta" imitando uns aos outros no gesto espetacular de falar por falar. A fala por imitação se funda na citação. O autoritarismo é "citacionalista". Repete ideias lançadas no âmbito da propaganda fascista, ela mesma viciosa e repetitiva. O autoritarismo depende da sua repetibilidade. Ele é uma máquina de produção de inconsciência, de uma subjetividade deformada pelo discurso. Daí a importância da falação odiosa. Não pensamos no que dizemos. Para entender o conteúdo do que dizemos precisamos entender a forma com que dizemos. E isso é muito complicado. O diálogo é mais ainda por que não nos ocupamos em prestar atenção no que pode ser um diálogo, ele mesmo um modo de conversar cheio de potências e que facilmente se cancela se não insistimos nele. Não o experimentamos na microfísica do cotidiano onde tanto poderia nos ser dito acerca de uma potência de transformação em termos macrofísicos. O diálogo entre o singular e o geral — entre o que somos (ou queremos ser) e o que nos rodeia — nos faria bem. Precisaríamos pensar mais, isso é certo, mas vivemos no vazio do pensamento, ao qual podemos acrescentar o vazio da ação e o vazio do sentimento. O vazio é o estranho *ethos* de nossa época.

Atualmente, como em todas as épocas em que o autoritarismo é a prática de extermínio da política, os cidadãos são chamados diariamente ao treinamento do ódio. Sabemos que nenhum afeto é totalmente espontâneo, que nenhum sentimento é natural. O treino para o amor ou para o ódio se dá pela repetição dos discursos. É preciso repetir e aderir, copiar e imitar.

Falar por falar. Repetir o que se diz na televisão e nos meios de comunicação. Ficar muito tempo ouvindo a mesma coisa para dizê-la de qualquer jeito. Ou dizer sem pensar no que se diz. No gesto do mero "compartilhar" sem ler que se tornou fácil (tanto quanto o "comprar com um clique" pela internet), agimos no vazio. Estamos na mera reprodutibilidade da informação que nada quer dizer, mas que é análoga ao fazer. O fazer vazio é consumo. Fugimos do pensamento analítico e crítico pelo vazio consumista da linguagem e da ação repetitiva. Fugimos do discernimento que o pensamento analítico e crítico exige. Caímos no consumismo da linguagem.

Ora, a fuga do pensamento produz o seu vazio. O vazio gerado impede o pensamento. É que o vazio do pensamento não é silencioso, não é o vazio como espaço aberto onde poderíamos buscar conhecer o inusitado. É um vazio cheio de falas prontas. Cheio da propaganda que impede o nascimento do livre pensamento. Só a interrupção do círculo vicioso do vazio do pensamento, que gera pensamento vazio — repetitivo e imitativo —, é capaz de mudar o rumo destrutivo da política nos âmbitos micro e macropolíticos.

O ódio cresce e aparece no círculo vicioso do pensamento. Ele é o afeto avarento por excelência, o afeto de quem não tem absolutamente nada para dar — que fomenta a diabólica morte do diálogo. Política é, ao contrário, produção simbólica. É sinônimo de democracia se a pensamos como laço amoroso entre pessoas que podem falar e se escutar não porque sejam iguais, mas porque deixaram de lado suas carapaças de ódio e quebraram o muro de cimento onde suas subjetividades estão enterradas.

A política como perfuração de muros ideológicos depende da persistência da resistência. Depende de aprendermos o que pode ser um diálogo enquanto guerrilha metodológica que precisa ser mais forte do que o ódio nesse momento. Não acabaremos com o ódio pregando o amor, mas agindo em nome de um diálogo que não apenas mostre que o ódio é impotente, mas que o torne impotente. O diálogo não é uma salvação, mas um experimento ao qual vale a pena somar esforços se o projeto político for coletivo.

Então precisamos começar a conversar de outro modo, mesmo que pareça impossível.

7. Um desafio teórico-prático

O autoritarismo é um modo de exercer o poder, mas é também um ideário, uma mentalidade. E, mais ainda, é uma espécie de regime de pensamento. O autoritarismo é um regime de pensamento que afeta o conhecimento. Ele se instaura em termos ético-políticos, mas também estéticos. Isso quer dizer, no âmbito da formação pessoal, das relações sociais, mas também de um modo de vida elaborado em termos de um estilo de viver destrutivo e acobertador de sua destruição.

Neste sentido é que podemos falar de um regime de pensamento democrático essencialmente oposto ao regime de pensamento autoritário. Como visão de mundo, o autoritarismo é fechado ao outro. Ele opera pelo discurso e pela prática sempre bem engrenados, que se organizam ao modo de uma grande falácia na qual o pensamento é, na verdade, produção de ausência ou, para usar a famosa expressão de Hannah Arendt, de vazio de pensamento. Um pensar autoritário que combate a liberdade e a expressividade do pensamento. Isso se consegue no fomento ao clichê, na manutenção e repetição do pensamento pronto, o que podemos chamar também de pensamento publicitário. Neste último, importa mostrar uma ideia cuja potência não tem nenhuma relação com algo como uma força da verdade, que viesse a questionar certezas. O pensamento publicitário pretende agregar consumidores de ideias, em outras palavras, pretende vender uma ideia. Produz consumo de pensamento; consumo de linguagem. O âmbito da verdade (como desejo de descortinamento) é algo que está fora do jogo. O mesmo se dá no âmbito da ação que podemos chamar de "pseudoação", a ação repetitiva, a ação preprogramada, tal como é a do consumismo.

Pensamento e ação se enlaçam e se organizam ao modo de um complexo — e ao mesmo tempo automático — imperativo teórico-prático, portanto, um modo obrigatório de pensar e agir, de alto impacto performativo: o outro não existe e se existe deve ser eliminado. Aquilo que, na introdução, designei por tratar alguém como se fosse ninguém. Esta performatividade manipulada não tem nada de espontânea, ela serve à manutenção do que chamamos de poder. Quem a pratica pode estar de acordo com o sistema, mas pode não ter muita consciência desse acordo. Fazemos acordos com o poder quando emitimos palavras e atos preconceituosos. Poder é uma dessas palavras que muitos usam e das quais muito se fala sem que se entenda muito sobre ela. O poder é o que produz um tipo de outro que precisamos compreender. Há, em cada regime de conhecimento, um tipo de produção do "outro". O outro nunca está dado, ele sempre é pensado. Ele sempre é, de certo modo, construído, mas mais que isso, ele é "materializado", "performatizado". O que chamamos de outro é produzido em cada regime.

Ora, denotamos regime de conhecimento ao falarmos de autoritarismo. Realizamos uma operação mental relacionada ao outro quando falamos de conhecimento. Isso porque conhecimento é gesto cognitivo na direção do outro, do novo, do diferente, em uma palavra, do desconhecido. É justamente o outro que é destruído pelo autoritarismo. O autoritarismo inventa o outro para poder destruí-lo. Neste sentido, o que chamamos de conhecimento não acontece de fato no regime de pensamento autoritário. Nele, o conhecimento é máscara sem rosto. O que chamamos de ideologia, o ofuscamento das indesejáveis verdades sociais, tem relação direta com esse processo de mascaramento de si pela invenção de um outro a ser odiado. No fundo, uma operação de projeção está em funcionamento.

8. "Tudo o que não presta"

Nada do que possamos chamar de conhecimento pode ser concebido fora do seu registro ético-político. Se o registro do conhecimento funciona pela negação do outro, o conhecimento é negação de si mesmo. A rigor, não é conhecimento. Sem o outro, o conhecimento morre. O enrijecimento é a prova da morte do conhecimento que se tornou cegueira ideológica. A ideologia é a redução do conhecimento à fachada, como que sua máscara mortuária. O conhecimento, que deveria ser um processo de encontro e disposição para a alteridade que o representa, sucumbe à sua negação. Daí a impressão que temos de que uma personalidade autoritária é também burra, pois ela não consegue entender o outro e nada que esteja em seu circuito. O campo do outro não lhe é acessível porque ela não tem condições cognitivas para isso, mas, sobretudo falta-lhe a afetividade e a imaginação que são formas pelas quais nos aproximamos desse campo cujo epicentro é, em si mesmo, sempre inacessível. Se pensamos no outro enquanto espectro é porque ele não é rígido, ele é um sistema de representações feito de imagens justapostas, de níveis e categorias. Assim posso me relacionar com a ideia do outro, a imagem do outro, o corpo do outro. Pensar no outro, a favor ou contra ele, deriva, portanto, do afeto que preside o pensamento.

A propaganda é o método que sustenta a negação do outro. A propaganda fascista, a propaganda do ódio, prega a intolerância, afirma coisas estarrecedoras com alto teor performativo, ou seja, capaz de provocar efeitos e orientar ações. O que chamo aqui de propaganda não é a campanha publicitária. Mas a discursividade entranhada nas falas mais comuns. E nas falas nefastas do poder. No dia a dia, sobretudo em certas épocas de crise do capitalismo, vemos isso em profusão. Um exemplo interessante foi o de um deputado chamado Luis Carlos Heinze que apresentou, em discurso até hoje visualizável no YouTube, uma imagem perfeita do pensamento autoritário que exclui o outro. Em sua fala, que se tornou famosa, "quilombolas, índios, gays, lésbicas", representavam "tudo o que não presta". "Tudo o que não presta" é, sem dúvida, um modo de desqualificar os outros. No caso, os sujeitos "des"-qualificados na fala e por meio da fala do deputado eram minorias. Minorias historicamente oprimidas pelos atos capitalistas. Mas com a expressão ele atingiu a exposição do conceito fundamental do fascismo atual. Além de inscrever-se nele como sujeito de maneira evidente. "Tudo o que não presta" implica um rebaixamento das minorias indicadas em seu discurso ao que "não presta". Ora, o que "não presta" não presta para quê? Não "presta" para o sistema da produção e do consumo. Os "imprestáveis" são julgados do ponto de vista da utilidade ao sistema da produção e do consumo.

O "fascista", por sua vez, é o suprassumo da personalidade autoritária, aquela que impõe o ponto de vista do julgamento do outro pela utilidade. A lógica da medida. O fascista é o sacerdote do capitalismo cuja liturgia implica esse julgamento, ao modo de um batismo perverso, o outro é descartado e lançado à matabilidade.

"Tudo o que não presta" ao mesmo tempo se apresenta como uma resposta pronta, um clichê. Um exemplo de destruição do conhecimento enquanto desejo de descoberta, que vem a constituir uma relação com o outro. Desejo de conhecimento que está na base do desejo de democracia. Autoafirmação de ignorância, assinatura da estupidez. Mas é, ao mesmo tempo, a destruição da política por um discurso antipolítico de um agente da governalidade, no caso, um deputado que deveria ser político, mas que está voltado para o instinto de morte antipolítico.

Em um caso como esse, podemos falar em prática discursiva perigosa, na qual é fácil perceber uma tendência ao extermínio, à matabilidade. O discurso do extermínio era o foco último do que ali poderia ser uma pura determinação do outro. Exemplo perfeito do discurso alinhado com a "tanatopolítica" contemporânea (a palavra *thanatos* significa morte em grego). Lembremo-nos do conceito de biopoder exposto por Foucault em sua *História da sexualidade*. Biopoder significa o cálculo que o poder faz sobre a vida. Forma típica de exercer o poder na modernidade, quando já não se manda simplesmente matar, como na antiguidade — embora esse tempo e seus métodos ainda persistam dentro da modernidade em um curioso cruzamento cronológico —, mas simplesmente age sobre a vida, por exemplo, controlando os preços e a distribuição dos alimentos, a saúde e as moradias das populações. A exclusão é o processo que se garante pela imprestabilidade à qual tantos são lançados e pela qual são condenados.

A matabilidade, portanto, não desaparece. A mortalidade diante da inexistência de políticas públicas e de um projeto radicalmente democrático de país é um resultado sempre garantido. Se o Estado não serve ao povo, serve às elites. O "tanatopoder" permanece atuando por meio do biopoder: calculando a vida para lançar na morte os que são marcados com a imprestabilidade. A imprestabilidade precisa ser garantida epistemologicamente, o que se consegue por meio do discurso, ele mesmo parte da ordem. Mas a quem esse tipo de discurso convence? Eis uma questão que precisamos nos colocar, até para poder combater essas formas de discurso ou para criar alternativas para a sobrevivência de uma política democrática, para uma política melhor, para um poder da diferença, um poder compreensivo que acolha aquilo que Walter Benjamin chamou "tradição dos oprimidos".

Ora, quem fala o que fala, sem nenhuma responsabilidade, por um lado deve ser legalmente questionado, por outro, é preciso trazer à luz quais condições, na cultura, possibilitam fazer surgir falas como essa que, na desqualificação do outro, praticam uma humilhação simbólica, e mais, estimulam ódio e, assim, incitam à matança. Como alguém se autoriza ao discurso fascista? Como alguém é dele convencido? Theodor Adorno se colocava a pergunta pela suscetibilidade das pessoas à propaganda fascista. Quem é, afinal, suscetível à propaganda de um modo geral e suscetível à propaganda fascista? Se a propaganda fascista que é um tipo de discurso — e uma verdadeira metodologia de alienação social por meio da linguagem — continuar vencendo, não teremos futuro. E essa não é uma questão que deva ser esquecida, embora muitos prefiram que a teoria fique com o puro papel analítico que nos isenta de apontar caminhos. Uma pergunta projetiva se impõe filosoficamente nesse momento: em que direção devemos agir diante desse estado de coisas?

9. *Experimentum Crucis*

É neste contexto que podemos nos colocar a questão da qual proponho que façamos um *experimentum crucis* teórico-prático: como conversar com um fascista? Digo isso pensando que podemos avançar para além do discurso da denúncia ou da queixa que são formas primitivas ou "proto-formas" da crítica.

Penso no discurso do ataque que, na estratégia da humilhação, constrói vítimas. E de como podemos nos sentir vítimas do fascismo e simplesmente sucumbir a ele. O fascismo sobrevive na animosidade. Ora, quem é atacado nos posicionamentos discursivos e práticos do fascismo não deve contentar--se com a posição de vítima. Essa pode ser simbolicamente útil para construir direitos, mas também para destruir lutas. Colocar-se na posição de vítima pode ser um perigo e não garante a posição de sujeito de direito, ainda que se denuncie por meio dessa posição a desigualdade e a violência à qual se está submetido em uma sociedade cuja lógica é a exclusão. Contudo, não pode funcionar como "estratégia" em tempos em que o poder está em mãos perversas, que almejam imolar vítimas no altar do Estado e do Capital. A estratégia pode transformar-se em armadilha.

Levando a sério o que dizia Adorno, filósofo que desconstruiu o fascismo, podemos dizer que "a vítima desperta o desejo de proscrever". Se o sistema do poder, se a religião do capitalismo, implica a culpabilização prévia do outro, se os "imprestáveis" são previamente marcados por existirem, é porque foram de antemão culpados. A questão da vida que não merece ser vivida está em cena. Segundo a lógica social que está em cena nesse discurso, os "imprestáveis" devem perecer porque não deveriam sequer existir. Se existem, são culpados e se são culpados, estão condenados. Assumir a posição de vítima que se confunde com a posição do culpado em nossa sociedade capitalista corresponde a expor-se e, dessa forma, abrir o flanco ao massacre.

Contra a posição da vítima, podemos pensar em outra posição. Chamarei aqui de postura do guerreiro sutil, aquele que assume uma espécie de "guerrilha" cuidadosa e delicada e desafia o poder desde a sua interioridade, desde seu núcleo duro, para desmontá-lo radicalmente. Se o poder é "falogocêntrico", ou seja, é fálico e funciona na discursividade, é preciso contra-atacar desarmando os "dispositivos" discursivos e práticos que estruturam o poder. Se o poder não sustenta o diálogo, e até mesmo o impede e evita, a questão seria, por exemplo, intensificá-lo.

Ora, o diálogo, em todos os seus níveis, é indesejado nos sistemas autoritários. As personalidades autoritárias não o cultivam, são incapazes dele. O diálogo, por sua vez, não é apenas uma conversa, muito menos uma conversa em que se disputa um argumento. O diálogo é o contrário do discurso e só ele pode "desarmá-lo". Somente ele pode desmontar o dispositivo sem tornar-se um novo dispositivo. Porque o diálogo é o desarmamento, a "des-positivação" essencial e metodológica de qualquer estrutura de "dispositivação". Estou usando o termo dispositivo aqui no sentido foucaultiano, isto é, como mecanismo que funciona reproduzindo aquilo que está dado. O diálogo é um contradispositivo cuja capacidade fundamental está em evitar a constituição de dispositivos que são em si mesmos repetitivos na reprodução do poder. Para Foucault o poder funciona por meio de dispositivos. O dispositivo é uma espécie de armadilha na qual nos enredamos sem poder escapar. O sexo é um deles, se quisermos um exemplo além do discurso, ainda que também dependa do discurso sobre sexo para se sustentar como dispositivo.

Se pensarmos no poder que com mais força e violência administra o discurso em nossa época, temos que pensar no que se chama de "mídia", o conjunto dos meios de comunicação. Se, por exemplo, os discursos dos meios de comunicação são construídos para evitar o diálogo, que leva ao pensamento analítico e crítico e, além de tudo, é construtor de laços cognitivo-afetivos, é preciso criar outras mídias que não apenas proponham outros discursos, mas que sejam capazes de instaurar processos dialógicos em sociedade. A questão "como conversar com um fascista" se torna um emblema do desafio democrático se pensamos que o ato de conversar seria apenas a porta de entrada de um processo de desconstrução que é o diálogo.

Dialogar é complicado justamente porque não se trata apenas de falar e ouvir, o que já é muito difícil. A evitação pessoal e cultural do diálogo se deve ao fato da desconstrução que um diálogo promove. A complexidade do ato de escutar está em que, por meio da escuta, entro em outros processos de conhecimento. Torno-me outra pessoa.

Quem luta por direitos sabe que conversar com personalidades enrijecidas é impossível. O diálogo, contudo, precisaria transformar-se em metodologia. Assim como a psicanálise não é apenas uma conversa, mas um método em cuja base está a análise da linguagem, o diálogo é o método filosófico que deveria transformar-se em metodologia política. Justamente por ser metodologia política "natural", o diálogo deveria ser realizado. Estamos alienados do diálogo, impedidos dele. O diálogo como hábito nos é roubado diariamente. A tarefa filosófica de nossa época implica devolvê-lo às pessoas. Da possibilidade de perfurar a blindagem fascista por meio do diálogo depende a nossa sobrevivência como cidadãos.

O diálogo é, neste caso, a "metodologia democrática" básica que poderia operar em situações privadas ou públicas. Ele parece impotente diante do ódio. Ele parece delicado demais. Mas o diálogo em si mesmo é um desafio. Um desafio micropolítico cuja execução pode nos ajudar a pensar no que fazer e em como agir em escala macropolítica.

Estamos, nesse ponto, no terreno de uma estratégia teórico-prática. Esse desafio tem três tempos:

1. O tempo do outro como um tempo assombrado. Tempo apavorante enquanto o outro é sempre o desconhecido, aquele que ameaça em algum sentido a "minha" realidade, a minha ordem;

2. O tempo da abertura de si a esse assombramento. Esse tempo implica perceber-se como um outro, o que só se dá no imaginário e no discernimento cognitivo, pois jamais teremos acesso ao sentir e ao pensar do outro, assim como ele não terá acesso ao que somos, senão pela exposição do que sentimos e pensamos, o que não se dá sem mediações linguísticas, ou seja, sem expressões e comunicações bem-cuidadas;

3. O tempo interminável. A saber, o da permanência na experiência do diálogo. O tempo da sustentação da metodologia. Em outras palavras, para que o diálogo aconteça é preciso permanecer no tempo-lugar do diálogo. Insistir no ato de escutar e de falar para se fazer escutar no âmbito do encontro. A qualificação do diálogo pela insistência nele mesmo demonstra sua insistência pacifista. Não ceder aos afetos ressentidos que podem surgir no meio do caminho; permanecer tentando entender e, ao mesmo tempo, oferecer o desentendimento como dúvida, como oportunidade ao outro de relacionar-se com a diferença.

Em todos os sentidos, o diálogo é resistência. A escuta exige resistência física e emocional. Essa resistência é política, mas em um nível mais subjetivo, é ética. O diálogo é, ele mesmo, um mecanismo, um organismo, uma metodologia ético-política. A forma essencial da ético-política.

A diferença entre discurso e diálogo importa aqui. No primeiro a escuta serve à fala, no segundo, a fala serve à escuta. O diálogo não é a conversa entre iguais, não é apenas uma fala complementar, uma conversação amistosa, mas a prática real da escuta em que a dúvida, a pergunta, existe para abrir a si próprio e abrir o outro. Nesse sentido, o diálogo é aventura no desconhecido. Ato político real entre diferenças que evoluem na busca do conhecimento e da ação que dele deriva.

10. Abertura

Para que o diálogo ocorra é preciso haver o que chamamos de abertura ao outro. A abertura é própria da mentalidade democrática. Mentalidade que já viveu a experiência da abertura ao outro em função de circunstâncias cognitivas e culturais. A abertura não existe no caso de uma personalidade autoritária, fechada ao outro também por motivos cognitivos e culturais, motivos que incidem na formação da experiência pessoal e coletiva.

A abertura à alteridade vai além de uma conversa em que se põem em jogo argumentos. Ela tem um ponto decisivo no âmbito afetivo. Não do sentimento, apenas, mas do modo como nos "afetamos", no sentido em que somos "tocados" pelo outro. Esse afetar, esse "tocar" é do âmbito da ação. Existem afetações que acontecem sem que estejamos agindo intencionalmente. Necessariamente nos afetamos para o bem e para o mal. Mas no âmbito das intenções, como "tensões" que nos levam a agir, nos obrigam a pensar que a ação é também do nível do fazer, ou seja, diz respeito a algo de que temos consciência. Quero dizer com isso que há muito de intenção, mesmo quando estamos mergulhados na falta de intencionalidade.

Portanto, a pergunta "o que estamos fazendo uns com os outros?" precisa ser nosso pano de fundo consciente, quando nos propomos ao diálogo. Como fazer para me abrir ao outro? Como fazer para que o outro possa estar aberto à minha própria alteridade? Os atos de fala, nesse caso, precisam ser atos generosos, atos de doação. Isso é o mais difícil, mas justamente o que se busca no diálogo. Os atos de fala não podem ser atos de avareza, atos de indisponibilidade. Precisam ser atos de discernimento, não atos de julgamento.

Se a personalidade democrática está aberta ao outro, seu grande desafio ético-político pode ser mostrar como produzir essa abertura ao outro em nossa sociedade. Intuições são bem-vindas. Elas presidem atos criativos em geral, sejam atos estéticos ou éticos. As artes estão no mundo também para nos colocar no âmbito dessa experiência. Para ensinar ética e política. Daí o sentido crucial do lema "como conversar com um fascista" que se torna, na contramão, um imperativo experimental democrático que precisa ser antecipado na conduta de quem quer produzir democracia hoje. "Como conversar com um fascista" é um experimento filosófico de inspiração ético--estética. Há nele uma dimensão lógica, em função do operador "como", e uma função performática que implica as potencialidades de nos afetarmos por um ato cênico no sentido de Brecht, que buscava desconstruir e produzir consciência por meio de suas peças socialmente críticas.

Em vez da queixa quanto à falta de abertura, devemos pensar em como ela pode ser produzida. Daí a função do operador "como" em nossa pergunta. Em outras palavras, a questão pode ser: como apresentar a experiência do outro a quem ainda não o concebeu? Como introduzi-lo na experiência da alteridade de modo que esta mesma alteridade não soe ameaçadora ou assustadora. De modo que haja um encontro entre o que abre, o que provoca diálogo. O diálogo é o que se deseja e, ao mesmo tempo, é preciso encontrar o ponto onde o diálogo pode acontecer. Neste caso, uma didático-política e uma estético-política podem ser relevantes em termos de projeto teórico--prático. Infelizmente, não temos as instituições convencionais agindo nessa direção. As instituições negam o outro e negam procedimentos que promovam encontros reais e concretos. Políticas de deslocamento — que nos fizessem pensar e agir em direções transformadoras —, que sacudissem o cenário instaurado e as subjetividades que o sustentam seriam necessárias.

Precisamos, portanto, mudar as instituições, ou criar instituições capazes de contemplar o outro. Sabemos que nossos povos nativos eram e são abertos ao outro, assim como sabemos que os colonizadores não eram; ninguém que viva na lógica da avareza típica do capitalismo ideológico está aberto ao outro. Sabemos que os machistas e sexistas, que os exploradores e manipuladores em geral também não são abertos ao outro. Na base de todos os manipuladores e exploradores está o princípio do fascismo como ódio aos diferentes considerados imprestáveis. Os diferentes que, como imprestáveis, perdem sua função e devem ser excluídos da sociedade. A ação reduzida ao consumo se torna antiética, antipolítica, e formula um modo de ser e um estilo de vida opressivo e depressivo. O fascismo também colonizou os prazeres através do estético-moralismo, que é o consumismo ao qual foi reduzida a antiga e emancipatória categoria ética da felicidade. Aderir a isso apenas porque as coisas se apresentam dessa maneira hoje seria desistir de si mesmo. O fascista desistiu de si mesmo.

O fascismo produz opressão de um lado, e de outro seduz para a forma autoritária de viver, garantindo aos que vivem esvaziados de pensamento, ação e afeto, que o mundo está bem como está. A depressão contemporânea tem tudo a ver com esse modo de ser. Mas falaremos dela mais adiante. O fascismo cancela, em nível do discurso exposto nas mídias, nos púlpitos e palanques que constroem opiniões públicas e mentalidades coletivas, a chance de pensar no que *estamos fazendo uns com os outros*, reflexão que poderia nos levar a uma vida mais digna e mais prazerosa. O antifascismo tem esse espírito.

11. Indústria cultural da antipolítica — O caráter manipulador

Discursos e manifestações revelam o caráter manipulador como parte fundamental da antipolítica de nossa época. Política é a capacidade humana de criar laços comuns em nome da boa convivência entre todos, o que requer defesa de direitos para todos e respeito por cada um. Antipolítica, por sua vez, é a destruição orquestrada destas potencialidades.

Importante ter em vista que a luta pela defesa de direitos em qualquer sociedade inscreve-se no cenário da valorização tanto do comum quanto do singular que nele floresce. O que chamamos de comum exige a singularidade que é, ao mesmo tempo, a função do "outro" como uma dimensão essencial na vida de cada um. Ora, o comum — aquilo que construímos entre nós em termos políticos — é feito de singularidade e de alteridade. O comum não é simplesmente o coletivo, pois a antipolítica também implica algo de coletivo. Podemos dizer que o comum *une*, enquanto o coletivo simplesmente *reúne*. A união é diferente da simples reunião.

Hoje em dia, ouve-se falar da diferença teórica entre massa e multidão. Enquanto a massa seria amorfa e manipulável, a multidão seria feita de singularidades que se expressam politicamente em busca do comum. Para usar a distinção anterior, as multidões são políticas, as massas, antipolíticas. A multidão é a união das singularidades, a massa, a reunião das individualidades. A multidão preserva a alteridade, a massa aniquila a singularidade. A massa é manipulável, a multidão, não. A massa é autoritária, a multidão, emancipada. A massa é regressiva, a multidão, progressiva. A massa precisa de um líder que a conduza, a multidão só precisa do desejo de cada um.

É verdade que as ruas vêm sendo ocupadas por multidões desde 2011 no mundo afora, e no Brasil, desde junho de 2013. No entanto, um fenômeno interessante precisa ser levado em conta. Retomando a diferença entre união e reunião, entre comum e coletivo, podemos dizer que as manifestações nas ruas foram um misto de massa e multidão. Justamente por conta desse caráter híbrido é que se explica a sua aparência. O que, no caso das multidões, remeteria à grandiosidade sublime e por isso seria algo impressionante; no caso das massas remeteria a uma monstruosidade apavorante, como vimos em manifestações fascistas nas avenidas de algumas grandes cidades tais como São Paulo em 2015.

A manifestação antipolítica depende de líderes manipuladores (deputados, torturadores, apresentadores de televisão, falsos pastores, pseudojornalistas são vistos nesse papel em nossos dias). É o caráter manipulador que opera na formação das massas. Os meios de comunicação têm um papel fundamental nesse processo: a propaganda disfarçada de jornalismo não consegue esconder o seu fascismo, consegue transformar a visão de mundo fascista (de ódio e negação da alteridade) em valor que é louvado por quem nunca pensou em termos ético-políticos e, por isso mesmo, cai na armadilha antipolítica muitas vezes pensando que se tornou o mais politizado dos cidadãos.

12. O analfabeto político é antipolítico

O que leva um indivíduo a reunir-se em um coletivo sem pensar com cuidado crítico nas causas e consequências dos seus atos configura aquilo que chamamos de analfabetismo político. Mas, no caso dos personagens jovens que surgem atualmente, líderes do fascistoide Movimento Brasil Livre, por exemplo, está em jogo a forma mais perversa de analfabetismo político. Aquele de quem foi manipulado desde cedo e não teve chance de pensar de modo autocrítico porque sua formação foi, no sentido político, "de--formação", a interrupção da capacidade de pensar, de refletir e de discernir.

Theodor Adorno no famoso texto "Educação após Auschwitz" (publicado pela primeira vez em 1969) falava de sua preocupação quanto à repetição do nazismo. A educação, depois da catástrofe, teria um papel como política e como autocrítica. Por meio dela, as pessoas poderiam investigar a formação da própria subjetividade perguntando-se como se tornaram quem elas são. Essa é outra das perguntas importantíssimas que precisamos fazer hoje quando nos damos conta dos processos de "dessubjetivação" ocultos em crenças de livre expressão e liberdade. Trata-se de uma pergunta ética, uma pergunta que, levada a sério, contribui para a produção política e impede a antipolítica.

Se pensarmos em figuras antipolíticas tais como deputados homofóbicos, que fazem da homofobia sua bandeira delirante, ou em outros golpistas que, com o poder governamental nas mãos, propõem todas as formas de retrocesso social, podemos ficar muito preocupados, pois o atual governo brasileiro está cheio de líderes fascistas com alto poder de manipulação das massas. São personagens manipuladores criados e, eles mesmos, manipulados pelos meios de comunicação, mas que têm uma vasta experiência a oferecer a estes mesmos meios que os manipulam. O acordo cínico entre esses indivíduos manipuladores e as instituições é perfeito. Esses indivíduos manipuladores não são autônomos, são peças de uma engrenagem que os vende como heróis e, de modo corrompido, se servem dela. São os corruptos de um sistema corruptor. Vendo-os em ação poderíamos pensar que o "caráter manipulador" seria coisa de homens velhos, forjados pela ditadura militar, por algum tipo de educação fria e violenta. E isso é verdade. Mas o que dizer dos jovens que discursam de maneira fascista? Jovens manipulados, usados pela indústria cultural da antipolítica levados a agir por empresários e patrocinadores, saberão o que dizem? Ora, manipular jovens e crianças é o que há de mais perverso, pois se trata de uma manipulação em segunda potência, aquela que opera sobre quem não tem como se defender. Por outro lado, essa manipulação implica a morte da esperança no futuro simbolizado por jovens e crianças. A indústria cultural da antipolítica criminaliza e mata jovens negros e pobres — a redução da maioridade penal que ameaça a juventude negra e pobre brasileira hoje é a face legal da matança de jovens negros e pobres nas periferias — enquanto elege outros jovens pobres — e, inclusive, negros, como é o caso de Fernando Holiday do Movimento Brasil Livre — a heróis fascistas manipulando a opinião pública quanto ao sentido das intenções e interesses nesse tipo de jogo.

Neste sentido, o capitalismo é altamente pedófilo, enquanto manipulador de consciências imaturas e até mesmo inocentes. Toda a manipulação das crianças e dos jovens pela propaganda e pelos meios de comunicação configura o "caráter pedofílico" do capitalismo em sua fase atual.

A irresponsabilidade que configura a antipolítica, no entanto, reúne todos esses "líderes" — sejam velhos, sejam jovens — dispostos a manipular as massas. Somente a união em outra direção, contra o fascismo em nome da democracia, pode mudar o rumo perverso da história que se desenha hoje.

13. Democracia: a palavra mágica

O capitalismo é um reducionismo. Assim como o patriarcado — sua versão de gênero — é a redução do ser humano ao sexo (no caso o binarismo heterossexual homem-mulher), o capitalismo é a redução da vida ao plano econômico. É o nome de uma visão de mundo, em que tudo se torna inessencial relativamente à "forma mercadoria" segundo a qual tudo pode ser comprado e vendido. Nessa visão de mundo, o pensamento está minado pela lógica do "rendimento". Viver torna-se uma questão apenas econômica. A economia torna-se uma forma de vida administrada com regras próprias, tais como o consumo, o endividamento, a segurança pela qual se pode pagar. Tudo isso é sistêmico e, ao mesmo tempo, algo histérico.

E que o que chamamos de capital tornou-se o horizonte que conduz toda nossa hermenêutica, a ponto de não se admitirem modos de pensar e de agir diferentes em seu regime. O capitalismo exige uma encenação e ela custa muito caro. O ato de falar e até mesmo de escrever, pelo qual expressamos pensamentos, também entra nesse jogo que é, afinal, um jogo de linguagem. Por isso, no capitalismo se cuida tanto da ordem do discurso (o que antigamente era chamado de retórica). A regulamentação das falas e dos textos visa a não prejudicar o sistema. Essa encenação é histérica, mas, ao mesmo tempo, é espetacular, portanto, funciona perto da arte (vide o sucesso do cinema em nosso tempo) e na forma de uma religião. Mas há um nível sutil de criação da teatralidade (histérica ou teológica) que implica o texto, o discurso.

Neste contexto, as palavras funcionam como estigmas ou como dogmas que sustentam ideias orientadoras de práticas. Se a ordem do discurso capitalista é basicamente teológica, é porque ele funciona como uma religião no âmbito das escrituras e das pregações (em geral, no púlpito tecnológico da televisão). Assim como, em sendo questionada, a palavra "Deus" gera o estigma do herege ou do ateu, a palavra "capitalista", quando questionada, gera o estigma do "comunista", ele mesmo tratado como um tipo de ateu em sua descrença crítica do sistema.

O capitalismo depende da criação de estigmas contra tudo o que vem a criticá-lo: pode-se usar a palavra "vândalo", o termo "terrorista" ou qualquer outro com sentido invertido. Assim, a religião inventou o diabo e as mais diversas figuras de oposição. No esquema discursivo do capitalista a estigmatização protege da crítica. O discurso é a arma de proteção do capitalismo. Os críticos, por sua vez, temem dizer "capitalismo" para não serem acusados de "comunistas". A ousadia de dar nome é perigosa como a pronúncia do nome de Deus em vão. Ou do nome do diabo. O antagonista é sempre estigmatizado.

Palavras mágicas, dogmas que revelam pretensas verdades e estigmas que afastam supostas mentiras, que esconjuram. Eis do que é feito o plano discursivo da ordem capitalista. Ele é um sistema de verdades, assim como o é a religião.

14. A partilha da miséria

A sedução capitalista que escamoteia a opressão organiza-se na forma de uma constelação de palavras mágicas, por meio das quais o falante e o ouvinte acreditam realizar todos os seus desejos. Palavras como felicidade, ética, liberdade, oportunidade, mérito, são todas mágicas. Uma dessas palavras mágicas usadas pelo capitalismo é a palavra "democracia". Antidemocrático, o capitalismo precisa ocultar sua única democracia verdadeira — a partilha da miséria e, hoje em dia, cada vez mais, a matabilidade — em nome da aparência de outra que é feita com as palavras mágicas. Aristocrático, ele acusará a crítica de ser antidemocrática, pois ele faz parecer que o monopólio da democracia é seu. Assim como todo sujeito autoritário reserva para si certas verdades, acontece com o todo do regime, pois esta reserva faz parte de sua lógica.

Podemos dizer que a democracia é polissêmica, mas também podemos dizer que alguns de seus significados são vendidos no mercado. De um lado, há uma democracia que deve aparecer como realizada contra outra democracia, que está na ordem do desejo e do sonho e que não teria preço.

Como véu acobertador de manejo simples, a democracia usada em sentido mágico perde sua história carregada de importantes significados políticos. Em seu fundo bem oculto, no tempo presente, sobrevive alguma coisa que ainda parece razoável, algo que desejamos, um governo de todos, direitos e igualdade social. Ao mesmo tempo, é evidente que há uma mentira concreta na democracia: a estabilização do capitalismo ou de outros regimes autoritários para a qual a palavra serve de acobertamento. O casamento entre opressão e sedução promete realizar a mágica capitalista em um *fiat lux* redentor.

A democracia nesse contexto é também um reducionismo, mas ainda não achamos um nome melhor para uma utopia possível.

15. Distorcer é poder

O descompromisso e a desonestidade com o que se diz são características de nossa sociedade há tempos. Um modo especializado de desonestidade vem sendo usado constantemente. Trata-se de um jogo de linguagem baseado na lógica da inversão.

Sabemos que devemos prestar atenção no que nos é dito. Por outro lado, é um dever ético prestar atenção no modo como nós mesmos dizemos o que dizemos. Claro que ninguém vai conseguir atingir um grau máximo de consciência e se expressar sempre da melhor forma. Por outro lado, é fato que as pessoas espontaneamente manipulam o que o outro diz. Mas não é porque as coisas são assim que elas não deveriam ser diferentes. Se é no "dever-ser" que começa o nível ético das relações, é justamente porque o dever-ser não é, não está pronto e precisa ser buscado.

A inversão é um tipo de distorção. No nível das relações entre pessoas particulares, sobretudo no que concerne à esfera privada, podemos dizer que a distorção é fruto de algo que chamamos genericamente de neurose. Ela atinge todas as relações. Pais e filhos, casais, amigos, todos aqueles que convivem e que, por conviver, falam uns com os outros, também distorcem o que uns e outros fazem e dizem. Distorcer nesse caso é adequar o que aconteceu de fato, ou o que poderia ter acontecido, a uma interpretação útil a algum interesse emocional, material ou conceitual. Não há discurso proferido sem a consequência de seus efeitos. Sabendo disso, constantemente ocultamos nossos interesses no que dizemos.

A neurose é uma categoria psicanalítica, mas ela é também uma categoria ética. Ela é uma manifestação da linguagem em que a desonestidade está em jogo, mas de um modo inconsciente. O neurótico quer provar suas "teorias", que ele pode criar nas mais variadas circunstâncias. E, para prová-las, basta acionar o mecanismo da distorção. A distorção requer interpretação. Captar algo dito pelo outro e usá-lo para provar algo completamente diferente é a sua aplicação mais simples. Em geral, aquilo que se quer provar — a teoria do neurótico — não tem realidade alguma. Há, certamente, no modo de proceder do neurótico algo de cruel consigo mesmo e com o outro. Ele quer provar algo sobre si mesmo e o outro lhe serve como caminho da prova. O outro é manipulado no ato da manipulação do argumento.

A lógica da inversão depende da capacidade para distorcer. A retórica como campo da linguagem definiu as estratégias da distorção por meio de uma classificação das falácias. Ela pode parecer bem racional, mas, em geral, apela, como qualquer falácia, a uma espécie de drible argumentativo. Pela inversão basta colocar uma coisa no lugar da outra. Trocar o lugar de quem fala, por exemplo. Vemos essa lógica presente tanto na culpabilização da vítima, quanto na vitimização do culpado.

A inversão, por sua vez, não é uma mera projeção, como pode parecer. Ela é uma tática de poder que vai além da neurose e tem com ela a diferença de ser uma desonestidade consciente. Alguém que na esfera privada é neurótico, na esfera pública pode ser um canalha. A posição do canalha é sempre burra, e fácil de desvendar. Mas vivemos no império da canalhice onde a burrice, tanto como categoria cognitiva quanto moral, venceu. Desvendá-la não tem mais muito valor. Ela se transformou no todo do poder.

16. Consumismo da linguagem:
o rebaixamento dos discursos

No processo de rebaixamento dos discursos, do debate e do diálogo que presenciamos em escala nacional, surgem maledicências e mal-entendidos que se entrelaçam formando o processo que venho chamando de "consumismo da linguagem". Meios de comunicação em geral, inclusas as redes sociais e grande parte da imprensa, onde ideologias e indivíduos podem se expressar livremente sem limites de responsabilidade ética e legal, estabelecem compreensões gerais sobre fatos que passam a circular como verdades apenas porque são repetidas. Quem sabe manipular o círculo vicioso e tortuoso da linguagem ganha em termos de poder.

O processo que venho chamando de "consumismo da linguagem" é a eliminação do elemento político da linguagem pelo incremento do seu potencial demagógico. O esvaziamento político é, muitas vezes, mascarado de expressão particular, de direito à livre expressão. A histeria, a gritaria, as falácias e os falsos argumentos fazem muito sucesso, são livremente imitados e soam como absurdos apenas a quem se nega a comprar a lógica da distorção em alta no mercado da linguagem.

A lógica da distorção é própria ao consumismo da linguagem. Como em todo consumismo, o consumismo da linguagem produz vítimas, mas produz também o aproveitador da vítima e o aproveitador da suposta vantagem de ser vítima. "Vantagem" que ele inventa a partir da lógica da distorção à qual serve. Vítimas estão aí. Uma reflexão sobre o tema talvez nos permita pensar em nossas posturas e imposturas quando atacamos e somos atacados ao nível da linguagem.

Penso em como as pessoas e as instituições se tornam ora vítimas, ora algozes de discursos criados com fins específicos de produzir violência e destruição. Não me refiro a nenhum tipo de violência essencial própria ao discurso enquanto contrário ao diálogo, nem à violência casual de falas esporádicas, mas àquela projetada e usada como estratégia em acusações gratuitas, campanhas difamatórias, xingamentos em geral e também na criação de um contexto violento que seja capaz de fomentar um imaginário destrutivo. O jogo de linguagem midiático inclui toda forma de violência, inclusive a propaganda, que mesmo sendo mais sutil que programas de sanguinolência e humilhação, tem sempre algo de enganoso. O processo das brigas entre partidários, candidatos, ou desafetos em geral, é inútil do ponto de vista de avanços políticos e sociais, mas não é inútil a quem deseja apenas o envenenamento e a destruição social. Quando se trata de derrubar um governo, um projeto alheio, um cidadão, a violência discursiva é uma arma poderosa que serve ao capitalismo, ao racismo e ao patriarcado. Sempre serve ao capitalismo, ao racismo e ao patriarcado porque, como toda enganação, foi criada em seu meio.

Os discursos podem fazer muita coisa por nós, mas podem também atuar contra nós. Ora, usamos discursos, mas também somos usados por eles (penso na subjetividade dos jornalistas e apresentadores de televisão que discursam pela mentira e pela maledicência). Aqueles que usam discursos sempre podem ocupar a posição de algozes: usam seu discurso contra o outro, mas também podem ser usados por discursos que julgam ser autenticamente seus. O que chamamos de discurso, diferente do diálogo, sempre tem algo de pronto. Na verdade, quem pensa que faz um discurso sempre é feito por ele.

Somos construídos pelo que dizemos. E pelo que pensamos que estamos dizendo. A diferença talvez esteja entre quem somos e quem pensamos que somos. Há sempre algum grau de objetividade nessas definições.

Uma pergunta que podemos nos colocar é: o que pode significar ser vítima de discursos na era do consumismo da linguagem? Por que aderimos, por que os repetimos? Há os que atacam e os que são atacados e os que, atacando, se autoatacam. O que se visa além do poder?

A violência verbal é distributiva e não estamos sabendo contê-la. Mas, de fato, gostaríamos de contê-la? Não há entre nós uma satisfação profunda com a violência fácil das palavras que os meios de comunicação sabem manipular tão bem? Não há quem, querendo brigar, goze com a disputa vazia assim como se satisfaz com as falas estúpidas dos agentes da televisão? Por que, afinal de contas, não contemos a violência da linguagem em nossas vidas? Grandes interesses estão sempre em jogo, mas o que os pequenos interesses de cidadãos têm a ver com eles?

Digo isso pensando que o fascismo estatal — inclusive em termos de economia política — sempre nasce de grandes interesses, mas por que pequenos interesses particulares aderem a ele tão facilmente? Por que as pessoas são tão suscetíveis?

A linguagem é rebaixada à distribuição da violência pelos meios de comunicação, redes sociais inclusas. O caso Dilma Rousseff faz pensar na diferença entre crítica a um governo criticável — como qualquer governo — e o rebaixamento da crítica pela pura violência verbal que serve ao consumismo da linguagem manipulado por setores diversos. Falo dos xingamentos, mas o ato de xingar, o "joga pedra na Geni", é muito mais complexo, porque tanto mostra a impotência para uma crítica concreta, quanto uma estratégia de destruição.

Quem pode com isso? Se a linguagem foi o que nos tornou seres políticos, a sua destruição nos tornará o quê?

Vítimas

A questão das vítimas é das mais delicadas. Nunca será uma questão resolvida, porque a vítima é aquela pessoa para a qual a justiça é sempre tardia. Vítima é o termo que implica uma marca, uma condição cujos efeitos podem até vir a ser passageiros, mas são sempre marcantes em intensidades diversas no amplo espectro em que podemos falar da condição de vítima. A condição da vítima é complexa e sua existência, que sempre pode ser a nossa própria, precisa ser olhada com muito respeito.

Há, em que pese o respeito devido por todos a todas as pessoas que são vítimas, um uso abusivo da condição de vítima, na forma de discursos que são proferidos atualmente sem vergonha alguma. Por meio deles, somos testemunhas de um processo crescente de banalização da condição de vítima. Os exemplos que nos permitem pensar nisso são os seguintes.

O primeiro exemplo refere-se ao posicionamento dos que se colocam na posição de vítimas de "heterofobia". Tempos atrás um deputado, conhecido por sua homofobia expressa de muitas formas, apareceu como quem "invertia o jogo" do preconceito que cada preconceituoso recria a cada instante, colocando-se na posição de alguém que sofria de "heterofobia". Em seu ponto de vista, ele seria a vítima de ódio por ser um representante da heterossexualidade em uma sociedade em que a "homofobia" é a regra. Porém, mais grave, ele tentava esconder essa regra por meio de uma equiparação ao que não tem sequer termos de comparação. Em palavras bem simples, ele tentava produzir efeitos com o seu gesto: o primeiro seria a diminuição da gravidade do seu habitual gesto homofóbico, o segundo seria a banalização da homofobia, já que, comparada ao seu contrário, ela seria algo em nome do que as pessoas agem de modo banal e, portanto, natural. Por fim, as vítimas da homofobia seriam criminosas quando se tornassem heterofóbicas. Trocando o lugar da vítima, equiparando os crimes e as vítimas, já não teríamos vítimas nem criminosos, e ele, como criminoso, estaria ileso, tendo conseguido, além de tudo, fazer pesar sobre sua vítima a condição de culpada.

Passemos a outro exemplo de distorção. Pessoas e políticos conhecidos por gestos e atos de intolerância religiosa passaram a sustentar a ideia de uma "cristofobia", da qual seriam vítimas. Manifestações artísticas como a da performance artístico-política de Viviani Beleboni na Avenida Paulista foram interpretadas na base de má-fé por parte de crentes que, de certo modo, colocam a religião acima da arte. Sua performance era uma evidente reação ao clima autoritário das próprias igrejas ou fiéis que fomentam o ódio enquanto o projeto de Cristo, seu líder, afirmava justamente o contrário. Nada mais legítimo do que um artista, ou uma pessoa qualquer, praticar um ato estético. Ora, toda arte é política, mas há intensidades do elemento político nas obras de arte e, talvez, algo que possa soar político demais — por dizer diretamente aquilo que ninguém, ou quase ninguém, quer ver — possa ofender quem não conhece ou não está acostumado com a lógica interna das operações artísticas. Arte é algo que causa efeitos na mentalidade e na sensibilidade de uma época para provocar reflexão e, quando a reflexão ocorre, processos de autonomização da consciência e dos afetos. Provavelmente muitas pessoas tenham se dado conta das contradições de certos agentes em nome da religião no que se refere ao respeito à sexualidade e ao gênero e tenham, por isso, entendido e recebido de modo lúcido a ação estética e artística da performer. Outros preferem apenas praticar a lógica da inversão em sua facilidade com a má-fé interpretando como ofensa aquilo que era a mais simples crítica. O conteúdo de verdade de uma obra se mede pelo seu impacto nas mentalidades. A obra de arte sempre fala para além do seu tempo, em geral surdo para o que ela realmente quer dizer.

Na mesma linha, podemos citar um deputado, famoso por afirmações que demonstram grave limitação reflexiva, que declarou em público ser "sobrevivente de um aborto" equiparando-se a "sobreviventes" de campos de concentração, ou seja, sobreviventes de fato aos quais direitos são devidos, e rebaixando a experiência das catástrofes concretas vividas em situações de fato. Do mesmo modo, como bem analisado por Djamila Ribeiro, as tentativas de configurar um "racismo reverso" faz parte desse cenário de reconfiguração das vítimas em um nível perverso. No caso do racismo reverso se oculta a questão mais profunda de um sistema de opressão e negação de direitos que rebaixa a própria questão racista a um problema de "xingamentos" e de idiossincrasia. Como se o racismo não existisse em condições históricas e sociais e não crescesse e funcionasse sustentando o sistema de privilégios (por sinal, branco). Os brancos não podem sofrer por "racismo reverso" porque o racismo é uma ideologia branca inventada para submeter populações negras. Com o racismo como ideologia foram garantidos assassinatos e roubos e justificada toda a história da violência física e simbólica que garante até hoje o estrutural privilégio branco.

O que acontece hoje com a questão gênero também participa dessa perversa lógica de inversão. No acordo atual entre Religião e Estado, em que os sacerdotes do autoritarismo se vendem como santos para populações de pessoas fragilizadas social, econômica ou intelectualmente, gênero passou a ser uma palavra monstruosa. Se gênero é uma questão que deveria fazer parte dos Planos Municipais de Educação, religiosos começaram a falar de "ideologia de gênero". Armados com má-fé disfarçada de proteção a altos valores familiares, há quem esteja invertendo o sentido da necessária discussão sobre gênero (assim como é preciso discutir racialidade e classe social), tentando convencer populações de que gênero em si mesmo não é um assunto, mas uma prática de inversão de sentido sexual por meio da qual se imporia uma absurda ditadura queer, trans, gay, homossexual. Apaga-se com isso a libertação simbólica das formas de vida gay e trans contra um paradigma heterossexual opressor em que a heterossexualidade também funciona como privilégio. Neste quadro, vemos a palavra gênero banida do cenário como se ela, por si só, fosse algo demoníaco. Quando, na verdade, é o seu banimento que mantém a promoção do preconceito e da violência, eles sim demoníacos.

"Ideologia de gênero" contra a qual os fundamentalistas se erguem, no modo como está sendo afirmada, é uma construção falaciosa. Mas no cenário atual em que a enganação está em alta, as falácias fazem muito sucesso.

Em qualquer um desses discursos a vítima real é colocada em um lugar banal, suas marcas e o sofrimento pela violência sofrida são diminuídos. Em todos esses casos, os agentes vão além do mal-entendido ou de uma possível e ingênua questão de autointerpretação. Em todos parece haver mais do que uma lacuna de compreensão. Podemos supor que esta lacuna seja, na verdade, má-fé, mas podemos ser mais amistosos e supor que se trata apenas de uma lacuna de bom senso ou de razoabilidade da parte de quem propõe o argumento falacioso por abandono de uma análise social e historicamente crítica. O problema seria de formação e educação. Na prática, pela falsidade em seu cerne, todas contribuem para a banalização da questão da vítima verdadeira. Todas servem para rebaixar o gravíssimo problema dos direitos implicados na condição de vítimas concretas.

Pensar sobre o que pode estar acontecendo quando vemos esse tipo de posicionamento pelo discurso pode nos ajudar a pôr em cena a questão do discernimento que, para além de julgamentos fáceis, se faz urgente entre nós.

17. Democracia e autoritarismo

O fato de que as pessoas que vivem em um regime democrático não saibam o que é democracia é uma questão por si só muito grave. O saber sobre o que seja qualquer coisa — e neste caso, sobre o que seja a democracia — se dá em diversos níveis e interfere em nossas ações. Agimos em nome do que pensamos. Mas muitas vezes não entendemos muito bem nossos próprios pensamentos, pois somos vítimas de pensamentos prontos.

Creio que, neste momento brasileiro, poucas pessoas que agem em nome da democracia estejam se questionando sobre o que ela realmente seja. É provável que poucos pratiquem o ato de humildade do conhecimento que é o questionamento honesto. O questionamento é uma prática, mas é também qualidade do conhecimento. É a virtude do conhecimento. É essa virtude que nos faz perguntar sobre o que pensamos e assim nos permite sair do nível dogmático para o nível reflexivo de pensamento. Essa passagem da ideia pronta que recebemos da religião, do senso comum, dos meios de comunicação, para o questionamento é o segredo da inteligência humana, seja ela cognitiva, moral ou política.

Eu falo isso do jeito mais simples que posso, porque tenho interesse profundo, como professora de filosofia, em poder falar com todas as pessoas de um modo a ser compreendida. A compreensão nunca é total, do mesmo modo que a expressão do que se quer dizer nunca é perfeita. Sei que a minha forma de falar é extremamente limitada pela minha própria história, por tudo o que estudei e por tudo o que não estudei, senti ou vivi. Esse saber e esse não saber, quando levados a sério, podem nos ajudar a pensar melhor sobre o que somos e o que fazemos. Acredito que o conhecimento que importa socialmente é aquele que surge como resultado do diálogo que temos que travar não só com os outros, mas com a gente mesmo, ali, dentro da nossa consciência, ela mesma muito limitada pela experiência, pelos afetos. O conhecimento que surge do encontro das diferenças é o conhecimento verdadeiro. Ele não combina com ideias prontas, com discursos de qualquer tipo. Ele precisa de diálogo. Nosso conhecimento é todo forjado a partir de posições afetivas, ou seja, relativas ao que sentimos. E nossos sentimentos são facilmente manipuláveis E é isso justamente o que não devemos saber para que eles possam continuar sendo manipulados.

Perguntar sinceramente sobre o que é democracia se constitui em um ato de humildade cognitiva, um ato que, a meu ver, inspira as práticas democráticas. Mas é difícil praticar esse ato quando somos movidos por sentimentos tais como o ódio. Quando o ressentimento comanda o nosso modo de pensar, não temos condições de ter consciência quanto ao ódio e ao ressentimento que está em sua base, porque o ódio é justamente o que acaba com a chance do pensamento e do discernimento. O ressentimento em sua base é o mal-estar que sentimos quando a vida não é o que esperávamos que ela fosse.

Mas se pudermos nos colocar esta pergunta sobre o que é a democracia, talvez tenhamos um filtro para melhorar as nossas ações. Essa pergunta, que é conceitual e que pede por uma definição, pode ajudar a quebrar o bloqueio dos nossos afetos maltratados. Ao mesmo tempo, se eu me pergunto sobre o meu próprio ressentimento e meu próprio ódio, dou um passo importante na direção do conhecimento. As coisas estão entrelaçadas. Talvez a pergunta pela democracia nos leve a respeitar as regras do jogo democrático, mas talvez ela nos leve a pensar o que estamos fazendo uns com os outros e com a gente mesmo. Talvez ela até nos ajude a sentir de um jeito melhor.

18. Flerte antidemocrático

A democracia flerta facilmente com o autoritarismo quando não se pensa no que ela é e se age por impulso ou por leviandade. Não sou uma pessoa democrática quando vou à rua protestar em nome dos meus fins privados, dos meus interesses pessoais; quando protesto em nome de interesses que em nada contribuem para a construção da esfera pública. Eu sou autoritária quando, sem pensar, imponho violentamente os meus desejos e pensamentos sem me preocupar com o que os outros estão vivendo e pensando; quando penso que meu modo de ver o mundo está pronto e acabado; quando esqueço que a vida social é a vida da convivência e da proteção aos direitos de todos os que vivem no mesmo mundo que eu. Não sou democrática quando minhas ações não contribuem para a manutenção da democracia como forma de governo do povo para o povo; quando esqueço que o povo precisa ser capaz de respeitar as regras do próprio jogo ao qual ele aderiu e que é o único capaz de garantir seus direitos fundamentais: o jogo da democracia. Esse jogo implica o voto, por exemplo. O voto e a eleição na base do voto precisam ser respeitados.

Por isso, para quem tem esse entendimento da democracia, é tão chocante ver tantas pessoas capazes de lutar contra ela. Como se elas mesmas não se beneficiassem da democracia. Aqueles que, no jogo democrático, pensam e agem a partir de dois pesos e duas medidas, caem na antidemocracia. É chocante ver pessoas que lutam contra os direitos dos outros e que, por não terem se preocupado em questionar o que fazem, lutam contra os seus próprios direitos sem perceber que o fazem. Esse é o cidadão autoritário. Ele é praticamente um anticidadão.

É fácil ser autoritário. Basta parar de pensar e começar a gritar as verdades prontas que nos são vendidas todos os dias. Verdade que o grito pode ter o seu sentido ético-estético-político, mas nem sempre. Quando ele é emitido pelos próprios cidadãos contra si mesmos, quando serve para ferir direitos fundamentais de uma sociedade da qual esses cidadãos fazem parte, a contradição se torna estarrecedora.

Que tenhamos políticos autoritários e uma longa tradição de poder colonial, de dominação e escravização, pode explicar o estado mental e afetivo de muitos cidadãos brasileiros que ainda não se esforçaram para pensar a democracia não apenas como valor social e político, mas como o único modo de ser politicamente razoável para todos, porque também responsabiliza a todos pelas decisões políticas em jogo. Quem prefere o autoritarismo não sabe o que faz. Pensa que age em nome próprio, quando, na verdade, age contra si mesmo.

As verdades que muitos compram hoje em dia parecem baratas, mas a médio e longo prazo o preço pode ficar muito caro. Juros sociais e políticos não cessam de ser cobrados historicamente. O autoritarismo finge não existir o tempo histórico e prega em nome de interesses imediatos.

19. Sobre o desejo de democracia

O desejo de democracia constitui intimamente a própria democracia. O clima autoritário de nosso tempo mostra que este desejo está sendo reprimido. A democracia permanecerá enquanto o desejo por ela — desejo em si mesmo democrático, ou seja, amoroso e generoso — não tiver sido aniquilado.

O afeto que anima a democracia é político, no seu sentido mais simples: produz elos, uniões, coletivos, transformações. Fica fácil entender se pensarmos que a democracia é bonita como é bonita uma festa em que pessoas se alegram com o que tem em termos de lugar, bebida e comida, danças e cerimônias. O principal da festa é a alegria. Com ela qualquer festa é possível. Mas uma festa precisa ser minimamente produzida. Alguém tem que achar o lugar, a música, algo para comer. Penso na beleza das festas mais simples em que tudo se move em nome do simples fato de que confraternizar, de estar juntos alegremente, é possível. Bom lembrar que a festa não está pronta se, de mau humor, não nos propusermos a ela.

A democracia é um regime político e uma prática de governo, mas é também um ritual diário — como estar em festa no mundo com o que há de mais simples — que precisamos praticar em família e no trabalho, na casa, na rua, no mundo virtual. Não há democracia sem respeito à singularidade e aos direitos fundamentais que o Estado, cada instituição, cada cidadão, deve ao outro com quem compartilha a vida, pública e privada.

A democracia é, portanto, uma forma política cuja característica é a alegria. A democracia é sempre alegre. A alegria é a força revolucionária interna à democracia. Mas ela precisa ser defendida para poder perdurar, porque a democracia é delicada. Porque a democracia é sempre criança. A imagem de uma criança que precisa de amor, de atenção, de cuidados para poder se tornar um adulto forte e preparado para a vida é sua expressão mais simples. Quem luta contra essa criança é perverso, ou autoritário. Por isso é que podemos nos perguntar se o clima da cultura política brasileira não é, neste momento, de perversão. Em relação à política, podemos dizer que muitos de nós estão sendo altamente pedófilos. Tratando a criança--democracia como um objeto sexual em que os anseios mais pervertidos se realizam sem limites.

É que o pedófilo não conseguiu deixar de ser criança. Ele fixou-se na infância e se identifica com ela, ao mesmo tempo que, abusando dela, abusa de si mesmo.

Hoje, quando vemos tantas pessoas — políticos profissionais ou cidadãos comuns — falando e agindo em nome de um afeto como o ódio, expressando-se por meio de jargões e clichês antipolíticos, podemos nos perguntar como chegamos a este estado de coisas. Perguntar é preciso, e quem está dentro desse estado de coisas não se pergunta sobre ele.

Constantemente vemos cidadãos infantilizados pelos meios de comunicação e por suas condições de classe, raça e gênero, produzindo estes acontecimentos de alto teor de analfabetismo político. Ao mesmo tempo, podemos nos colocar a questão acerca de tais cidadãos que como adultos mimados parecem crianças. Crianças que não gostam do jogo democrático por que não foram educadas para isso. Nossa cultura — sobretudo a cultura industrializada servida às massas — e nossa educação (des-educação) favorecem este cenário. Há manifestações em que as pessoas parecem crianças que, abusadas, e transformadas elas mesmas em abusadoras, já não querem mais brincar. O astro da pedofilia política tem um jeito de brincar bizarro.

Ora, a personalidade autoritária não reconhece nada fora dela mesma. Nada pode ser contra seu modo de pensar, de sentir e de ver o mundo. O que o eu autoritário — e mimado — quer é impor-se como centro do mundo. As outras pessoas, perspectivas, classes sociais, gêneros, raças, são todos apagados em nome de uma verdade absoluta que nasce no núcleo paranoico — no qual o mundo está pronto e explicado — que orienta suas ações. O desejo de democracia que constitui a pessoa que respeita as leis e acordos sociais — o cidadão adulto — dá lugar em nossos dias ao desejo autoritário do sujeito político infantilizado que ainda não chegou à idade escolar. O desejo autoritário é sempre delirante.

Quem estudou a história do nazismo sabe das performances políticas bizarras de Hitler e seus apoiadores. Hitler parecia uma criança que, tendo crescido, continuava abusada e mimada como todo paranoico. No nazismo, todos deliravam estética e politicamente. Qualquer vídeo, documentário, ou filme do período mostra o caráter bizarro do que era vivido e fomentado pela propaganda da época. Nossa propaganda (incluso o jornalismo de hoje) muito tem em comum com o fascismo e destrói a democracia. O fascista está para a democracia como o pedófilo está para a criança.

Não é possível entender por que esse ódio expressado das formas as mais bizarras tem tanto espaço ainda hoje quando devíamos ter aprendido com exemplos históricos, inclusive o exemplo brasileiro da ditadura militar que durou vinte e um anos e que ainda não estancou seus efeitos sobre nós. Por que os afetos negativos tomam conta das pessoas, dos indivíduos, das populações? Esta é uma pergunta que sempre podemos nos fazer. Podemos também continuar perguntando: qual é a diferença entre o desejo constituinte da democracia e o desejo constituinte do autoritarismo? Como esse desejo, que é sempre desejo do outro, no sentido de ser formado junto com os outros, se estabelece? Ora, a democracia é uma forma de governo, mas é também uma perspectiva afetiva no sentido de ser efeito e de causar efeitos. O sentimento de amor, de respeito, ou de ódio não são naturais nas pessoas, são ensinados, são criados, são produzidos. Por que as pessoas estão preferindo o ódio ao amor é outra boa questão. Quem prefere o ódio é quem vive do capital, seu grande gerador.

Dia desses dentro do metrô em São Paulo, uma mulher falava para as outras "faça um sexo gostoso". Eu lembrei que a mulher de Goebbels, o chefe da propaganda nazista, queixava-se que eles nunca faziam sexo… Pensei no Brasil, país feito de mitos: a sexualidade livre, a cordialidade, a alegria carnavalesca, o país tropical abençoado por Deus…

Sei que o clima não está para ironia, e que posso ser mal compreendida, porque o clima é de ódio a tudo o que implica o amor — e o sexo — ou a simples percepção de que há algo de infinitamente mais podre nas manifestações das comunidades bizarras que pedem sangue contra partidos, esquerdas, jovens ativistas, mulheres, homossexuais. E atualmente batem panelas.

Atualmente as hordas de zumbis antipolíticos desejam sangue. Ele terá de vir do mesmo lugar de sempre. Das classes menos favorecidas e de todos os que, em algum momento, tentarem defendê-las.

20. Neofundamentalismo

Vamos definir como "neofundamentalista" certa postura de nossa época relativa à questão da verdade quando a verdade não é o que está em jogo. O conceito de fundamentalismo refere-se sobretudo a questões religiosas, mas se trata, no caso do neofundamentalismo, de um conceito mais extenso.

Em todos os campos da vida em que a verdade possa estar em jogo, quem se posiciona como seu guardião corre o risco de ser neofundamentalista. Assim, podemos dizer que há fundamentalistas religiosos e ateus, há fundamentalistas na vida acadêmica, na moral, nas ciências e até no futebol. Diremos que é neofundamentalista aquele que não se importa "verdadeiramente" com a verdade. Seria uma espécie de "neossofista", se ele usasse argumentos. Mas o neofundamentalista cultua a mais bruta ignorância, a que despreza o conhecimento.

Se lembrarmos de Walter Benjamin definindo o capitalismo como religião, o neofundamentalismo analogamente corresponderia à ignorância como religião. Nele, o culto total e ininterrupto do não saber — enquanto desprezo pelo saber — não deixa espaço para nada que possa relacionar-se a algo como conhecimento. Imposta à força, a ignorância seria o sangue injetado diariamente nas veias anêmicas da cultura reduzida à sua indústria. Diálogo, uma postura aberta ao outro a partir da qual é possível o encontro com o conhecimento, como o que não está dado, não é possível para o neofundamentalista. O fundamento do neofundamentalista não é mais o dogma, porque ele não parte de uma verdade, mas de um acordo prévio com a ignorância elevada a método de dominação cultural. A ignorância é, assim, o próprio fundamento na postura do neofundamentalista.

A postura do neofundamentalista é sempre desonesta. Não importa se ele acredita ou não no que diz. Ele está em busca de efeitos, e causando efeitos, para ter resultados em nível de lucros: dinheiro, audiência, votos. Em última instância: poder. Daí que seja tão fácil fundar igrejas ou shoppings em um mundo em que Deus — que ocuparia o lugar da verdade nas religiões — se confunde com mercadorias; em um mundo em que a Indústria Cultural da religião embota toda a relação com a transcendência.

21. Crença útil

Diferente do simples crente para quem a verdade é o cerne de uma crença capaz de orientar pensamentos e atos, o fundamentalista *usa* sua crença, na qual, a propósito, não se pode ter certeza de que ele realmente creia. Ao usar a crença, o fundamentalista desrespeita não apenas a crença alheia, mas a própria crença em nome da qual age. A utilidade da crença está na submissão daquilo em que o fundamentalista não crê. Mas, sobretudo, sua função é escamotear um afeto de fundo, o ódio em relação ao incompreensível, ao que está em ligação direta com o transcendente. O neofundamentalista odeia a ideia de um deus, ou de deuses, que não sirva a seu propósito.

Falta-lhe justamente a função cognitiva da alteridade que lhe permitiria buscar algo como uma crença na transcendência, bem como no conhecimento — uma forma de transcendência —, e, assim, sair do circuito da ignorância com a qual ele se contenta porque, na estreiteza de raciocínio que lhe é própria, as coisas estão bem como estão. Assim é que ele pratica uma grande contradição em nome da verdade. Ele odeia a verdade que finge amar, assim como, no campo religioso, odeia a um Deus que ele não possa explicar. Enquanto, na verdade, entrega-se de corpo e alma à ignorância que, de certo modo, prova a si mesma como a única verdade real. Sem condições de saber que nada sabe, ele se entrega não à verdade, mas à violência em seu nome. Como um desesperado, sem um Deus em quem possa confiar, ele se autodenuncia em sua descrença. O fundamentalista é a prova de que Deus, mesmo que possa existir, não existe.

22. A violência e os meios de comunicação

A violência é experimentada, provocada e sofrida no dia a dia das pessoas das mais diversas formas. Na prática, a violência é algo banal, ou seja, é comum e partilhada. O que chamamos de "violência simbólica" está entre nós, entrelaçada de modo perigoso com a violência física. Isso quer dizer que nos atos físicos de violência de gênero, raça, idade, classe social há sempre violência simbólica. Mas toda violência simbólica pesa materialmente. Todo sofrimento é físico, diria Adorno. Na base de instituições nas quais o autoritarismo (Estado, Justiça, Escola, Família, Igreja) define o rumo dos atos de opressão e submissão de pessoas em geral, a violência simbólica diz respeito à compreensão da própria violência: a ideia do que seja violência define a violência possível. Daí que alguns se sintam autorizados, seja a xingar, seja a fomentar o ódio na TV ou até mesmo nas redes sociais da internet.

A agressividade verbal é uma forma conhecida de violência simbólica. Fofoca e difamação também fazem parte dessa violência que se faz com palavras e atos de fala, mas em uma escala que não parece tão perigosa na maior parte dos casos. Falar é fazer, mas pensamos pouco nesse fato.

Quando a violência da fala chega à comunicação que, em escala institucional, atinge o que chamamos de "mídia", o perigo se intensifica. Temos ouvido e visto jornalistas com amplo espaço na televisão falar de modo agressivo e irresponsável em gestos de claro fomento ao ódio. Extrapolando limites éticos, o que apresentadores de televisão fazem é estabelecer elos com a "voz" de muitas pessoas. Isso quer dizer que as "asneiras" pronunciadas na tela da televisão e do computador têm nexo direto com aquelas que são pronunciadas em casa, na esfera da vida privada. Daí o lugar especial em nossa cultura contemporânea de plataformas como Facebook — onde qualquer um se faz de "formador de opinião" —, que estremecem os limites do privado e do público. Ali, o que se diria em escala privada é dito em escala pública com a leviandade de quem pensa não estar sendo visto. É menos impressionante xingar do que caluniar, e menos grave caluniar do que espancar e menos ainda espancar do que matar. Mas há uma continuidade entre os atos de fala e as violências físicas, porque nossos atos são efeito do que pensamos. Nossos atos de fala provocam efeitos subjetivos e objetivos. Podemos pensar que todos somos capazes de fofoca, de maledicências e, bem pagos, alguns seriam capazes até de fazer jornalismo sem ética ou coisas do tipo. Até que ponto vai a capacidade de praticar violência? Essa é uma pergunta que devemos nos fazer hoje em dia.

Aquele que fomenta verbalmente a violência trabalha na formação da violência simbólica. Como fez uma apresentadora de TV ao incitar a morte daquele que, segundo sua epistemologia, chamou de "marginalzinho". Aquele que pensa assim, fala assim, também é capaz de fazer o que diz, porque, de certo modo, já "faz" o que diz. Pelo simples fato da banalização da violência, há quem pense que também está autorizado a matar. Os diversos casos de violência ao nível da barbárie vividos no Brasil nos últimos tempos nos confrontam com uma sociedade que não se preocupa com a própria violência. Neste campo entram os meios de comunicação controlando o modo de pensar e, portanto, de agir das pessoas.

Sabemos que a destruição da sociedade se dá na destruição da subjetividade das pessoas. Cada um deve ser aniquilado como pessoa, ou seja, precisa ter perdido a si mesmo para poder sentir que a vida do outro não vale a pena e que deve ser aniquilada de qualquer modo. Ele se entrega ao ato de atirar a primeira pedra porque está iludido de que a sua vida pode valer alguma coisa. Não há futuro para uma sociedade cujo pensamento comum é este. Não há futuro em uma sociedade cujo pensamento comum nasce na televisão fascista.

23. Linchamento — Cumplicidade e assassinato

O linchamento é um tipo de violência em cuja base estão as tensões sociais profundas que, embora possam explicá-lo, não servem de desculpa. Alguma "desculpa", no entanto, está sempre no cerne do linchamento. Ela é relativa à ação conjunta na qual todos agem em torno de um curioso acordo acerca da verdade que rege o motivo do linchamento.

O ato de linchar configura um tipo de violência hedionda. Em primeiro lugar, por sua desproporção. Crime praticado por um grupo contra alguém indefeso, ele põe em jogo o procedimento do "todos contra um". Em segundo lugar, por sua fatalidade. Escapar de um linchamento só é possível por milagre. No meio do coletivo, não surge quem ouse defender a vítima. Ninguém vai contra a maioria. A ação não admite dúvida nem reflexão, por isso, quem pode fica quieto.

Mas como se forma o grupo do linchamento? O que leva alguém a participar do ato? Três elementos combinam-se entre si permitindo a ação: o primeiro e mais fundamental é a anulação da subjetividade: quem participa de um linchamento não é capaz de pensar no que faz; em segundo lugar, a ausência de compaixão, a capacidade humana de se colocar no lugar do outro, de imaginar a dor do outro; e, por fim, o desejo de fazer parte da massa. Um estranho "ter lugar" pode chamar qualquer um a destruir alguém "junto" com outros. Experimentamos isso nas audiências televisivas de reality shows em que o potencial exterminador está em jogo.

É preciso colocar a questão do tipo de "comunidade" que lincha. O que alguém está fazendo no ato de linchar é, para ele, mais do que certo. Mas ele, ao mesmo tempo, se ampara no gesto do outro. Há uma covardia de fundo no ato do linchamento que ninguém pode deixar de ver. Que o conjunto esteja fazendo algo, o mesmo que cada um, representa prova suficiente da justificativa do ato para quem dele participa. Perguntar se sua ideia e seu gesto poderiam ser diferentes é impossível para o dono eventual da razão. Não há desconfiança no processo, só há verdade. A consequência é que cada um se sente autorizado a matar. Mas nunca sozinho, sempre com ajuda de alguém. Assim consegue também sentir-se irresponsável por seu ato. O lucro é estranhamente moral.

A "malta" espontânea é formada por individualidades cheias de ódio que encontram no coletivo seu lugar. O lugar onde cada um deixa surgir o impulso paranoico que pode haver dentro de si. Aquele que se gestou numa experiência infeliz com o outro. É ele que age covardemente na ação do linchamento, sempre contando com um álibi. A comunidade que mata ergue-se sobre a cumplicidade, na covardia.

A hipótese do agente cruel coletivo é de que o "linchado" é algum tipo de criminoso hediondo. Mas como quem comete o crime do linchamento pode se sentir superior ao criminoso hediondo? Logo, na lógica do assassinato, o outro tem que morrer. Por que o linchador poderia punir o outro criminoso com as próprias mãos? O linchador pratica contra a vítima a culpa da qual ele mesmo é o portador. Culpa da qual ele pensa livrar-se no ato de espancar até a morte. O processo é de inversão. O linchador expurga o próprio ódio jogando-o para cima de um desconhecido indefeso. O criminoso é o outro, então ele é imediatamente punido. O outro que o paranoico odeia é que deve expiar o seu crime.

Fabiane Maria de Jesus, dona de casa, foi morta num linchamento no Guarujá em 2014. André Luiz Ribeiro, professor, escapou por pouco quando corria no Rio de Janeiro e foi confundido com um assaltante. Outras pessoas foram linchadas em 2015. Já sabemos da banalidade da vida e da morte em nossa cultura. Mas o que autoriza uns e outros ao assassinato? O aval. É a mesma lógica da corrupção generalizada. Por que "o outro faz, eu também estou autorizado a fazer". Sem pensar, matar é um ato cada vez mais fácil. E ele depende da irresponsabilidade e da covardia cada vez mais generalizadas.

24. Prepotência

É bastante conhecida a passagem da *Odisseia* de Homero em que Ulisses encontra as sereias e, desejando ouvi-las sem enlouquecer, faz-se amarrar ao mastro do navio em que viaja, não sem antes alertar seus remadores para que tapem os ouvidos com cera e, desse modo possam continuar a travessia normalmente. Esta história encanta muita gente há muito tempo. Foi Kafka, no entanto, quem percebeu a ingenuidade de Ulisses, a de acreditar que o poder do canto das sereias poderia ser contido por cera e cordas.

Ao perceber isso, Kafka diz que há algo mais terrível do que o canto das sereias. Segundo ele, se alguém pudesse escapar ao canto das divindades telúricas, todavia não poderia escapar ao seu silêncio.

No conto de Kafka, Ulisses acreditou que as escutava. Mas as sereias não cantaram. E não cantaram porque Ulisses lhes pareceu um sujeito meio bobo com toda aquela parafernália usada para proteger-se do seu canto.

Para entender Kafka, poderíamos nos perguntar mais ou menos assim: como pode alguém que vai ver e ouvir as sereias — justamente as sereias — estar preocupado com outra coisa que não a experiência da coisa enquanto tal, a experiência fantástica que seria ouvir SEREIAS? Não se trata de música que se ouve no rádio, nem de nada que se possa baixar na internet para ouvir com fones. Não é um show para o qual se compram ingressos. Trata-se, afinal, do mítico canto das sereias. Convenhamos que não é pouca coisa, pensemos como Kafka. A verdadeira experiência de arrebatamento com a qual um ser humano sonha e da qual está impedido por limitações humanas, ali, finalmente realizável. E Ulisses? Ora, Ulisses quase chegou lá, mas preferiu menos, não porque quisesse permanecer humano — afinal, esse problema não era o seu —, mas porque já estava com a consciência instrumentalizada.

Apesar da ingenuidade de Ulisses, as sereias gostariam de tê-lo capturado. Se não os ouvidos, pelo menos os olhos do herói astucioso. Mas os olhos de Ulisses não se dirigiam a elas. Não se dirigiam às forças temíveis da natureza que aniquilariam quem olhasse para elas. Os olhos da cultura, digamos assim. Ora, o poder dos seres míticos seria o de subjugar os seres racionais, o poder dos seres divinos deveria ser o de suplantar o poder humano. Seria lógico que Ulisses se submetesse a elas. Mas os olhos de Ulisses eram olhos distraídos, estavam atentos demais às estratégias para vencer as sereias e, mesmo assim, eram olhos — e ouvidos, não esqueçamos — que queriam "curtir". Aqueles olhos e aqueles ouvidos precisavam ser capturados pelo canto e pela imagem das sereias, do contrário seria o fim das sereias. Mas Ulisses não podia dar o braço a torcer e dizer que encontrou com o seu silêncio. Talvez não soubesse duvidar do que ouvia. Talvez fingisse.

Por sorte, tudo acabou bem. Ulisses fingiu que ouvia e foi embora. E alguma coisa ele viu. As bocas perplexas. As sereias, sem entender como era possível que alguém não se desse conta do que acontecia naquele momento, continuaram existindo apesar de Ulisses quase as ter destruído com sua boçalidade. Kafka termina o conto sem dar uma de Ulisses, ou seja, combatendo a tentação de prepotência que caracteriza o protagonista homérico, ao afirmar que talvez Ulisses tenha percebido tudo isso e tenha escapado das sereias, do seu poder terrível e destrutivo, o poder da sedução — mas não só, o poder do acontecimento misterioso que é viver —, justamente controlando esse jogo de aparências, fingindo que tinha entendido tudo. Ulisses seria um espertinho, as sereias sabiam que não, mas Kafka, que era um homem decente, apenas nos põe a desconfiar e deixa tudo no tom do "quem vai saber?".

Há um momento do texto em que se pode reconhecer o poder da prepotência de Ulisses que quase destruiu as sereias: "Contra o sentimento de tê-las vencido com as próprias forças e contra a altivez daí resultante — que tudo arrasta consigo — não há na terra o que resista."

Essa força, a da crença de que se venceu as sereias, não tem comparação. Ela destrói tudo. Mas que poder de destruição é esse que seria capaz de eliminar logo as sereias se elas estivessem desprotegidas? Lembremos que as sereias estavam protegidas por serem inconscientes e permanecerem na eternidade, e que apenas ficaram meio perplexas com o jogo humano.

A condição humana sob o signo do capitalismo tecnológico nos tornou cada vez mais parecidos com Ulisses, o boçal. Ulisses que Adorno e Horkheimer chamaram de "protótipo do indivíduo burguês" não é mais do que o turista que usa câmera de fotografar e filmar quando teria a chance de entregar-se à viagem; é o pai que filma o parto enquanto a criança se ocupa em nascer e a mãe torna-se um objeto decorativo de um filme bizarro; é, por fim, o dono do celular último tipo que deixa de conversar com os filhos, os amigos, o namorado, porque há coisa muito mais interessante para ver no mundo virtual além da mesa do restaurante. Lembro que dizíamos: aponta-se a estrela e ele olha para o dedo. Eis Ulisses, olhando para o dedo com o qual tecla o celular enquanto as sereias resolvem dormir...

O conto de Kafka nos aponta para a prepotência da inteligência de Ulisses que, na época, se constituía em mãos, corda e cera. Hoje, na era tecnológica, com os aparelhos impressionantes que temos, somos todos Ulisses em estado avançado de putrefação espiritual. Perdemos a chance de ouvir o canto das sereias porque nossos olhos distraídos são de vidro, plasma, LCD, LED (escrevo isso e penso que em algum tempo quem ler pensará "que velho"), ou outro material que empolga os tontos no contexto da ideologia da alta resolução. Evolução direta da cera e da cordinha que amarrava Ulisses ao mastro fazendo ele se sentir inteligente.

Viver, mais uma vez, deve ser algo parecido com "resistir" a essas bugigangas. Resistir pode nos ajudar a ouvir o silêncio das sereias.

25. Em nome da angústia —
Uma meditação sobre a morte

O suicídio de Virginia Woolf em 28 de março de 1941 é um dado biográfico absolutamente especial. Ele faz pensar em aspectos da morte e do morrer. No gesto de cancelamento da vida pelo qual optou a escritora, podemos ver a depressão e a melancolia, ou a fuga de um mundo em guerra em tempos fascistas, inevitavelmente deprimentes para quem se mantinha ética e politicamente sensível. Talvez, ainda, Virginia Woolf tenha praticado um último ato no sentido do direito à morte como direito de luta pela liberdade que é própria à vida pensada como categoria ética e política. Quem vai saber?

Quem se contenta em resolver o problema da morte com aquela frase do filósofo Epicuro "não conhecemos a morte porque, quando ela chega, já não estamos presentes" sabe que se trata de uma frase de efeito que pode servir, em última instância, para evitar uma reflexão capaz de produzir muita angústia. Em tempos fascistas como os nossos, tempos que se repetem historicamente, mais do que nunca, é preciso pensar sobre a morte e renovar nossa relação com a angústia. A angústia tem algo a nos ensinar: que não precisamos nos matar e que não devemos matar os outros.

Ora, vivemos em tempos fascistas, tempos em que há muitas práticas de morte, morte por descaso e por assassinato, e pouca ou nenhuma reflexão sobre ela. Pensar na morte pega mal na era da felicidade banal típica desses tempos em que toda angústia é evitada. O fascista não sente angústia. E isso porque a morte não é, para ele, uma alternativa. Ele não lembra que vai morrer. Ele não morre simbolicamente como acontece às pessoas em geral algumas vezes na vida. Ora, o fascista não morre porque não pode morrer. Não morre justamente porque, como o confirma sua rigidez, ele já está morto.

26. Vida como categoria política

Antes de ser uma categoria médica ou biológica, a vida é uma categoria política. Como categoria política, a vida implica a nossa potência para a relação simbólica com o outro que é sempre uma relação de reconhecimento. Aquele que não reconhece a alteridade está morto. Está politicamente morto. Ora, quem está politicamente morto está morto.

O cadáver é a objetificação total. Nele não há mais chance de estabelecer relação com o outro. Há cadáveres vestidos de morto fingindo estar vivos. De paletó e gravata, eles dão as regras do jogo — sempre político — dos outros que, juntos, permanecem vivos. O cadáver veste a fantasia do político profissional e sobe ao palco espetacular dos meios de comunicação. Ali ele lança seu vômito apodrecido contra a dança da vida que é a dionisíaca dança da diferença.

No cenário político brasileiro, há quem, sendo sensível como Virginia Woolf, pense que seria melhor morrer de vez. Há quem se deprima e pense em se matar. A depressão também é uma categoria política. Em tempos de psiquiatrização da vida cotidiana, a depressão torna-se "doença" para evitar que seu conteúdo político venha à tona.

A fantasia da morte pode ser uma real perda de tempo, mas a meditação sobre a morte já ensinou muitos filósofos a viver. O tabu no qual o suicídio se tornou nos impede de ver o doloroso ensinamento de Virginia Woolf morrendo em um mundo morto, sem chance de reinventar a vida.

Hoje não basta evitar falar de suicídio ou evitar praticá-lo. Seria preciso reinventar a vida. Essa reinvenção é necessariamente política. A pergunta que podemos nos colocar é se um fascista seria, no atual momento político, capaz de meditar sobre sua própria morte.

27. Histeria de massas

Não é preciso conhecer teorias políticas sofisticadas ou compreender os discursos complicados de intelectuais para poder ser um cidadão que se expressa com coerência em termos de política. Digo isso pensando em como pessoas de um modo geral têm se expressado muito mal sobre questões muito sérias. Não creio que as pessoas possam ser tão fascistas quando estão sozinhas, comparado ao modo como se expressam quando estão em massa. O que autoriza cidadãos comuns a expressarem um ódio que, a meu ver, não é realmente e profundamente seu? Me pergunto sobre a criação da histeria de massas que levou a uma marcha como a do dia 15 de março de 2015. Evidentemente as pessoas foram capturadas pelos meios de comunicação de massa, sobretudo a televisão. Foram capturadas no que elas mesmas conhecem de ódio e ressentimento. É fácil capturar o ressentimento, assim como é fácil capturar o desejo de felicidade, de amor, de sucesso. A publicidade sabe disso. A televisão, como aparelho que age na lógica publicitária, usa o ressentimento e o ódio como estratégia de movimentação das massas.

É fácil se deixar levar por oportunistas e embusteiros políticos que com palavras fáceis ganham a adesão do povo, colocando-o em estado de histeria coletiva. Mas por que resistir não é, para muitos, uma opção?

28. Depressão: uma questão cultural

"Depressão" tornou-se o termo genérico para designar certo estado de sofrimento psicofísico característico de nossa época. Podemos dizer que o mundo se divide hoje entre os que estão deprimidos e os que, ao seu redor, estão perplexos e curiosos quanto ao que seja a depressão, suas causas, sua origem. Neste contexto, os discursos sobre a depressão proliferam. O campo do senso comum é invadido pelos discursos especializados, da psicologia e da psiquiatria. Um acordo entre teorias especializadas e teorias "populares" garante um saber geral quanto à depressão como um mal contemporâneo a ser extirpado.

É certo que se a questão interessa a todo mundo, isso acontece porque todos experimentam em suas vidas algum nexo com ela. Todos estão de algum modo envolvidos com esse mal cujo nome mesmo realiza a coisa. Mas que mal esse mal realmente seria?

A depressão parece ter se tornado um registro afetivo coletivo. Antigamente se falava em estados melancólicos. Popularmente as pessoas diziam: estou meio *down* e a gíria servia para tornar tudo muito comum e não tão importante. Estar "pra baixo", como fica claro na mais simples análise da etimologia popular contemporânea (que empresta palavras do inglês por motivos evidentes), nunca foi nada fora do comum. Hoje, contudo, se fala em epidemia de depressão, surto geral de depressão. O mal-estar ao qual chamamos depressão generalizou-se. Tornou-se corriqueiro que alguém se sinta mal, psiquicamente falando, e logo apareça alguém, um colega, um familiar, com o diagnóstico genérico da depressão que está disponível no mundo da vida e do qual o seu portador provavelmente ouviu falar nos contextos mais variados. Isto porque pesquisas sobre depressão e sua cura são divulgadas pelos meios de comunicação (TV, jornais, revistas). Já o risco de mistificação por meio dessas pesquisas sobre a depressão não vem ao caso, nem para a ciência, nem para a população.

Ora, o que se chama de depressão não tem sido questionado, não tem sido colocado como questão, mas apenas como resposta. As pesquisas em torno do tema são feitas, a propósito, com o fim de serem divulgadas para um público amplo, criando, assim, uma cultura em torno daquilo que foi sugerido como hipótese. Longe do questionamento, uma nova mania coletiva surge junto com a depressão, a mania de diagnóstico. Seja ele científico ou popular, não importa, o importante é a resposta capaz de aplacar a angústia da incerteza.

No âmbito do diagnóstico popular, a depressão é uma tristeza profunda, tão profunda que pode perturbar o todo da vida. Já segundo o discurso especializado, o deprimido não está apenas triste. Trata-se de algo pior do que de tristeza no caso da depressão. Trata-se de uma "disfunção" química, de um "transtorno", termo genérico usado na cultura da psiquiatrização da vida que transforma tudo em doença. Uma não-vontade, ou uma vontade de nada que pode ser corrigida com remédios, eis o que está em cena.

De qualquer modo, ficar um pouco triste, tanto no sentido popular, quanto no sentido especializado, segundo um ponto de vista razoável, seria algo normal e desejável diante de certos fatos, das catástrofes pessoais, das questões sociais também. Diante de um fato triste, o razoável, de qualquer ponto de vista, é sofrer. Qualquer pessoa pode se dar conta disso, mas não o deprimido, pois ele, de certo modo, perde a capacidade de pensar, de constatar o mais óbvio. Perde a chance de ver que o sofrimento é generalizado e, por isso, sobrevalorizaria o seu sofrimento pessoal sem perceber que há uma maneira de sofrer típica de uma época e altamente forjada por uma indústria cultural do sofrimento.

O deprimido em geral acredita que seu sofrimento é único. Digamos que descoberta do caráter genérico do sofrimento pode ajudá-lo a sair dele. Embora o sofrimento sempre seja único em um sentido lógico, não o é em um sentido comparativo. Indo por um caminho ainda muito simples, é fácil pensar que sofrer faz parte da condição humana. E assim diremos àquele que sofre. Por que, no entanto, o sofrimento — que é algo assim tão "natural"

— é vivido como insuportável e, justamente por isso, vem a caracterizar aquilo que chamam de depressão?

Dizer que há um sofrer normal e um anormal expõe que há uma teoria generalizada quanto às normas do sofrimento. Elas existem, por incrível que pareça. E são produzidas. Não suportar o sofrimento soa como anormal. Anormal é também a experiência do sofrimento idealizado como algo anormal. Como as normas dão segurança, tanto a ciência quanto o senso comum, esperam que a vida funcione segundo normas. Assim como o sofrimento que nos parece algo tão especial, tão sagrado, e de modo algum sujeito a qualquer norma. As normas são teorias-práticas que orientam nosso modo de ser e agir. Gostamos delas, e por isso mesmo a depressão parece ser uma doença apenas porque foge a certa norma relativa à compreensão do estado mental desejável coletivamente. Ora esse "estado mental" esconde o sofrimento, ora o fomenta. Quando o fomenta é justamente porque antes pretende sugerir mecanismos para escondê-lo. Mas é justamente aí, neste escapar da norma, que mora certa "riqueza" da depressão, por mais horrorosa que ela possa parecer.

29. Luto proibido

A compreensão do estado do luto em nossa cultura pode nos ajudar a entender o que tem sido feito em termos da administração social e cultural do sofrimento que experimentamos hoje. Se lembrarmos da definição de luto usada por Freud, o luto seria uma perda de objeto que implicaria um trabalho psíquico para acostumar-se à vida depois dessa perda. O luto seria normal quando superado, anormal, quando insuperável.

Até aí, nada de mais, a vida das pessoas organizar-se-ia com a organização da dor. O sofrimento seria, mais uma vez, parte do cotidiano. O luto, o trabalho de superação. Qualquer pessoa em algum momento viveria o sentimento do luto porque, inevitavelmente, seria impossível viver sem perder algo ao qual se tivesse afeiçoado. Viver implicaria perder e enlutar-se, seria um tempo necessário a quem experimentasse a perda.

O problema de quem é classificado como "deprimido" parece ser o de um luto profundo. Um luto interminável. Pensa-se, então, nas condições do "eu", na fragilidade pessoal subjetiva de quem está sob esta condição. Desse ponto de vista, tudo é lançado sobre a "subjetividade" de cada um como se ela fosse "natural" e não construída socialmente. Ora, essa posição não se sustenta quando vemos as condições sociais, coletivas, culturais, em que se dá o luto hoje. Neste sentido, essa época em que a indústria cultural da libido e da felicidade está em alta pressionando cada um à crença de que nada se perde e de que tudo pode ser conquistado, que qualquer sofrimento pode ser superado, o luto não é tão bem-vindo assim. O luto é contraideológico. O luto prejudica o funcionamento social. O luto interrompe a produção e o consumo. Por isso, exige-se que o luto aconteça rapidamente. Ou não aconteça.

Para que a máquina do sistema continue funcionando, precisamos ser diariamente privados do luto, proibidos de viver a experiência da perda, proibidos de perder. Convocados a uma bizarra ideia de progresso, somos proibidos de fracassar. O que o deprimido vive é, na verdade, uma espécie de proibição do luto, uma impotência para o luto. Impotência introjetada no contexto da experiência cultural. Assim, no Brasil enterramos os nossos mortos rapidamente, do mesmo modo que tomamos remédios para não atravessar as inevitáveis dores da vida.

O deprimido é aquele a quem o luto está vetado. Aquele que não conseguiria realizar o trabalho do luto no contexto de uma ideologia da produção e do consumo vividos como únicas dimensões da vida. Assim é que "deprimido" é o estigma daquele que não consegue voltar à norma do sucesso, da felicidade de plástico no âmbito da ação esvaziada no esquema produtivo-consumista.

Nesse contexto, seria de se perguntar se o deprimido e sua depressão não teriam algo a ensinar sobre o estado geral da sociedade.

30. O peso mais pesado — Ódio e meios de produção do ressentimento

Nietzsche escreveu sobre sua famosa teoria do eterno retorno em um parágrafo de *A gaia ciência* intitulado "O peso mais pesado". Trata-se, no caso dessa doutrina de caráter amplamente psicológico, do peso do ressentimento, daquilo que não se pode esquecer. Do afeto que, denso e pesaroso, de algum modo é preciso carregar por toda a vida.

Cada pessoa tem alguma dor, ou talvez várias dores que são, no sentido do que a psicanálise chama de trauma, constitutivas de sua condição subjetiva. Mas o modo como cada um experimenta o que podemos chamar de ferida pessoal — como a ferida que Ivan Ilitch no conto de Tolstói experimenta em silêncio e solitariamente — depende de muitos fatores. Verdade que o sofrimento não pode ser mensurado, porém, quando narrado por alguém, percebemos que o sofrimento assume intensidades diversas.

A intensidade do sofrimento é constantemente expressa pelo seu "peso". Assim ocorre no texto de Nietzsche. Por isso, a pergunta implicada na doutrina do eterno retorno nietzschiano, tal como exposta naquele parágrafo, diz respeito ao motivo de se carregar o peso que se carrega. Em outras palavras, está em jogo, na questão de Nietzsche, o motivo pelo qual um sofrimento não pode ser superado, por que há certo sofrimento que parece pesar mais. Ora, um sofrimento indelével é sempre um sofrimento muito poderoso. Seu poder vem de seu peso. O mais pesado de todos os pesos é um peso maior, quem sabe o mais valioso, o mais poderoso. Ao mesmo tempo, sendo "peso", incomoda. Por isso, é difícil carregá-lo. O que fazemos, então, com aquilo que nos pesa, já que ninguém deve querer, voluntariamente, carregar um peso? Justamente por isso, por ser difícil carregar o peso, é que cada um tende a jogá-lo em algum lugar. Podemos dizer que, no esforço de nos livrarmos dele, tendemos a jogá-lo na direção do outro.

Ao mesmo tempo, não é porque as coisas pesem que precisamos carregá--las, mas porque as carregamos é que elas nos pesam. Ora, o que pesa é o que não pode ser solto, o que não pode ser deixado para trás. Isso fica mais bem compreendido quando Nietzsche, em *Assim falou Zaratustra*, usa um morto como metáfora do peso que se carrega. O ressentimento, nesse caso, pode ser o sentir ininterrupto da dor que um dia se sentiu, é como o morto que Zaratustra tem às costas. Ele desapareceria se tivéssemos a capacidade de esquecer o que foi negativamente sentido e, a partir de então, aprendêssemos a aceitar o que nos aconteceu, o que sentimos, a não negar, portanto, o que sentimos. Isso seria o que Nietzsche chamou de "Amor Fati", o "amor ao destino". Amor, de algum modo, ao que se é, ao que se tem, ao que nos acontece. Esquecer, diante do ressentimento, seria uma espécie de virtude própria de quem vive o amor ao destino. Seria, no caso do confronto com o que se viveu em termos de peso, um ato de incentivo à leveza que se alcançaria com o amor. A leveza, contrária ao peso, seria, neste caso, uma força. Seria como deixar ir, como deixar passar.

A leveza seria o amor que se consegue deixando o ódio, peso morto, para trás. Alcançar essa condição parece, no entanto uma verdadeira façanha psíquica. Quem conseguiria? Haveria um método para esquecer e assim poder novamente, contra o peso do ressentimento, amar?

Amar o destino seria, antes de mais nada, um ato de desapego. Seria o ato de aceitação do peso das coisas, não de sua negação abstrata. Essa aceitação permitiria deixar as coisas no meio do caminho, abandoná-las a si mesmas e, por meio desse abandono (totalmente dialético), devolvê-las a si mesmas. À história, ao tempo, ao espaço. Neste caso, experimentaríamos o sofrimento, a dor, os afetos do amor — e também do ódio —, mas no momento em que se apresentariam como parte da vida e não como peso morto. Isso quer dizer que a doutrina do "Amor Fati" seria a doutrina da aceitação dos afetos. Quando seria evidente que não sentir é impossível, mas re-sentir pode ser mais bem elaborado na direção de um afeto futuro, não ressentido. De um afeto aberto ao futuro. O amor é esse afeto aberto ao futuro. O ódio é o afeto fechado para o futuro.

O "amor ao destino" implicaria abandonar o peso morto do ressentimento no meio do caminho. Seria, portanto, um ato que relativizaria o peso. Deixar o peso do passado ao passado seria como devolver-lhe, generosamente, ao seu lugar, renovando, assim, o lugar do futuro.

Nietzsche usou o peso como uma metáfora negativa aplicada à afetividade. Mas como os óculos dialéticos melhoram nossa visão, devemos ver que peso e leveza são medidas de valor. Do mesmo modo como podemos dizer "peso pesado" ou "peso leve" para a força do lutador, do desportista profissional, o peso é sempre uma medida que implica o "maior" ou "menor". Implica um valor maior ou menor e um peso — ou um preço — a ser pago quando se trata de alguma balança.

Em uma sociedade em que miséria e riqueza se confundem no mercado e na igreja, o poder do miserável está no sofrimento acumulado. O poder do opressor na produção desse peso. O mesmo que não permite que se mude o rumo da história. Sabemos que o maior ressentido é o dono do maior sofrimento, um sofrimento que ele pensa ser maior do que o dos outros quando visto de seu próprio ponto de vista. É o ressentimento que se expressa no discurso da vítima. Mas é também, e muito mais, o ressentimento que culpabiliza o outro por ser vítima. O ressentimento de quem é incapaz de ver o sentimento alheio, de fantasiar, pelo menos, o outro, de suspeitar de sua dor.

Maior ainda é o ressentido que administra o ressentimento alheio. O ressentimento do dono dos meios de produção do ressentimento. Os meios de comunicação, as igrejas, as empresas, os Estados, os regimes políticos e econômicos geram esse ressentimento criando o eterno retorno da dor. Cada um, neste contexto, se torna, a seu modo, o mais poderoso dentre os miseráveis.

O ressentimento esconde o ódio e é a origem do fascismo que "pesa" sobre nossa cultura atual. No gesto de todo fascista — seja o homofóbico, o machista, o racista, o que defende a desigualdade de classes, ou a "natureza" superior de uns contra outros, no fascismo sutil do capitalista que diz que as coisas não podem ser diferentes — está o ressentimento, sinônimo de ódio, marca da impossibilidade de ir além de si mesmo, de produzir um mundo melhor para todos.

O ódio é fechado e triste, o mais pesado de todos os pesos. Ele é a base do fascismo. O ressentimento é seu nome complexo. O seu contrário implica a amorosa e esbanjadora festa da liberdade na contramão do espírito de morte que é o espírito avarento do sistema econômico.

Que o ódio esteja chamando a atenção entre nós, gerando o cenário antipolítico que conhecemos, é um sinal de que podemos superá-lo. É sinal de que ainda existe amor como afeto amplamente político, como potência contra o ressentimento, contra o ódio requentado a cada dia, com seu miasma sempre pronto a sufocar qualquer um que esteja vivo.

A democracia é a luta amorosa contra esse fogo fraco e impotente que ameaça incendiar o mundo.

Contra o peso do ressentimento, menos ignorância: filosofia como aviso de incêndio.

31. Mais amor, por favor

Dizer amor em tempos de ódio é um gesto anacrônico. Um gesto inatual, fora de época. Portanto, um gesto que pode causar vergonha ou pelo menos inibição em quem se preocupa com a relação entre discurso e ação.

É o sentimento de inadequação diante da expressão do amor que está muito mais presente em nossas vidas atualmente. Quantas vezes não recuamos do desejo de manifestar amor por não saber como sua expressão pode ser recebida? Quantas vezes não o controlamos dentro de nós mesmos por achar que o amor não faz sentido? Pensar assim é inevitável quando todos nós estamos confusos com o que chamamos de amor porque a delicada planta do amor não anda tendo espaço para crescer nesse mundo em que a cultura do ódio avança tão rapidamente quanto o desmatamento da Floresta Amazônica, quanto a indústria bélica, o consumismo, os latifúndios, a economia dos ricos cada vez mais ricos, o autoritarismo.

Para bom entendedor, meia palavra basta, mas ela não tem sido a palavra amor. Quem diz amor se sente fora dos jogos de linguagem do nosso tempo. Isso quer dizer que a palavra e a coisa estão ligadas ao nível da ação, quem fala faz ou finge que faz. Por isso, também é possível falar amor da boca para fora, como se pode dizer, correspondendo assim ao aniquilamento do amor por esvaziamento, algo tão desejável em nossa época que elogia a palavra amor apenas quando ela é transformada em balão de ar.

Fácil acabar com o amor quando o transformamos em um efêmero sopro de voz. *Fragmentos de um discurso amoroso*, de Roland Barthes, talvez nos ajude a pensar nisso, quando se propõe a ser mais uma forma de enunciação do amor, como uma teoria amorosa, do que um livro de análise sobre o amor.

Talvez o autor de um discurso amoroso que ande por aí nesses tempos de ódio não deva se calar, mas inevitavelmente terá que rever o que diz para poder expressar aquela parte do amor que não pode ser dita e que é a única que vale a pena dizer. (Quando vejo o livro de Barthes nas mãos de gente jovem, sei que estão apaixonados pela primeira vez e o leem porque o amor é algo tão estranho que precisa ser estudado para ser suportado...)

32. O amor é histórico

O amor tornou-se a palavra que facilmente acoberta seu próprio contrário. Teríamos que fazer sua anamnese, lembrando que o amor é histórico, que é uma ideia tão boa quanto perigosa. Remédio e veneno ao mesmo tempo. Talvez não exista palavra mais contraditória ou mais astuciosa para garantir desvios necessários: os que falam em nome do amor muitas vezes o falsificam com seu próprio nome. O ódio infelizmente é sempre verdadeiro.

A palavra, como toda palavra carregada de uma beleza ideal, pode servir para acobertar seu contrário. Mas isso apenas quando o amor virou peça retórica como se faz com outras palavras. Prestemos atenção em como os autoritários adoram a palavra democracia, como os violentos usam cinicamente a palavra paz...

Mas quem fala do amor também pode estar, de algum modo, fora da ordem, seja por adocicá-lo no sentimentalismo publicitário que vende coisas por meio de sensações e simulações de sentimentos, seja por intensificá-lo na paixão amorosa possessiva e cruel que leva a crimes, a maldades de todo tipo que amantes praticam uns contra os outros. Lembremos que o amor romântico até hoje fez muitas vítimas porque, por mais belo e aconchegante que possa parecer, ele sempre teve um preço. As mulheres sempre o pagaram enquanto foram — com seu próprio corpo, alma e ação, ao mesmo tempo — a moeda. O amor romântico estabeleceu-se a partir de raízes intimamente ligadas à misoginia. Mas lembremos ainda que pais e filhos também praticam muito desamor sob a cortina de fumaça da palavra amor. O amor, se não for mediado por algo que poderíamos chamar de "reflexão amorosa", um estado de constante reflexão ética sobre o que fazemos em seu nome, é um grande perigo na vida das pessoas, pois se presta a toda forma de engodo.

33. Eu te amo

Fato é que a palavra ficou gasta em meio a tantas contradições e não podemos mais pronunciá-la honestamente. Quem hoje em dia pode dizer "eu te amo" sinceramente e não desconfiar de um cinismo que não se deixa medir justamente porque se deseja o seu conteúdo? O amor virou uma mercadoria das mais baratas no mercado das relações humanas. Poetas honestos não têm mais coragem de usá-la. Do mesmo modo, amantes honestos, paradoxalmente, não se comprometem mais com ela. Os escolados na falsidade diária dos relacionamentos sabem que "eu te amo" é sinal de alerta para a mentira. A expressão gastou-se sem que tenha atingido sua própria verdade e serve para colocar o vazio do eu, sua inexpressão repetitiva, em cena. Ao dizer eu te amo, acreditamos que fazemos alguma coisa importante. Emitimos um conteúdo. Mas será mesmo? O amor também participa do consumismo da linguagem.

Por isso, talvez seja bem mais honesto dar lugar entre nós a outros sentimentos menos pretensiosos como, por exemplo, o respeito. A justiça que se assemelha ao amor por sua condição de impossibilidade talvez seja muito menos impossível e faça mais sentido. Talvez que, ao usar menos o termo amor, atualizando-o com menos eloquência por meio de outras palavras, estejamos praticando mais amor.

E ainda assim o amor não pode ser jogado fora. Embora se trate, no seu caso, de algo de fato impossível, a antecipação prática desse ideal melhora o mundo. Torna esse mundo menos inóspito, menos cruel. O amor é assim um gesto negativo da ordem injusta do mundo. Talvez fosse essa a mensagem contida há tanto tempo no diálogo de Platão chamado *O banquete* no qual vários filósofos discutem o amor sem que nenhum deles consiga atingir uma definição perfeita. As mulheres não estavam ali não apenas pela habitual misoginia dos filósofos, mas porque o amor também não estava ali e os homens ali presentes não eram capazes de entrar em contato com essa grande figura da alteridade representada pelas mulheres e pelo amor.

Sócrates é quem chama à memória a explicação de Diotima, uma sacerdotisa, ou seja, alguém que entra em contato com o mundo dos deuses, que não poderiam estar entre os meros mortais. O amor surgia nas palavras de Diotima como o desejo de alguma coisa que não estava presente, algo outro, algo que não estava jamais expresso e que nos chamaria para fora da experiência habitual. Levando a sério o que disse Diotima, o amor seria irrepresentável. E Sócrates sabia disso. O que quer dizer que nunca estamos falando de amor quando falamos de amor. O que vale então para os pobres mortais é o desejo de amor. É o amor que queremos.

Ora, o que é o amor senão o desafio da alteridade? Seja político, ético ou estético, esse desafio é o do encontro com o que não somos, com o estranho, com o que não se submete à nossa compreensão limitada, com o que não estamos acostumados. Certamente não pensamos que o amor seja hoje um desafio em sentido algum e é mais certo ainda que para este desafio não possamos nos preparar, pois não há mais tempo reservado para algo tão inútil. Não é assim que pensamos? Pois é assim que, devorados pelo ódio que está na base do utilitarismo, o amor acaba.

34. A cultura do assédio

Hoje em dia fala-se muito em "assédio moral" e em "assédio sexual". Tais tipos de assédio não se desenvolveriam tão facilmente se não encontrassem um clima socialmente propício. O assédio é mais um desses padrões culturais que, em graus e intensidades diversos, atingem todas as esferas da vida. Por isso, podemos falar de uma cultura do "assédio", ou seja, de uma cultura no "espírito" do assédio em que se desenvolvem as relações humanas, nas quais estão inscritas a questão "moral" e a questão "sexual".

Assédio é uma prática antiética de opressão baseada na pressão direta a um indivíduo. O assediador é aquele que pressiona o assediado a fazer sua vontade. Ele trata o assediado como um objeto que deve lhe servir.

Que o assediador não seja capaz de ver no outro um sujeito, primeiramente vendo nele um objeto, não lhe tira a responsabilidade por qualquer de seus atos, mas explica o contexto em que, de algum modo, a grande maioria não coloca para si a questão do outro. A sociedade do assédio forma pessoas capazes de produzir o assédio. E de consentirem com ele. É como se surgisse uma autorização instaurada na esfera social — que cada um introjeta, ao tratar o outro como coisa —, para que não se valorize o outro como sujeito de direitos. O assediador age com o aval da falta de reconhecimento — de respeito e até de empatia para com o outro — como prática generalizada ao nível da cultura.

As instituições cobram desempenhos de seus indivíduos. Sem pressão, a maior parte das dívidas não são pagas. O Estado cobra impostos e obediência às leis, a Família cobra ações relativas a papéis de gênero e responsabilidades financeiras, a Escola cobra sucesso e obediência, o mundo do Trabalho cobra a produção, a Economia em seu estado atual cobra consumo. A sociedade do assédio é a rede organizada em torno do desempenho com vistas à manutenção dessas instituições nas quais pessoas individuais têm a chance de se autoconservar apenas se conseguirem corresponder ao padrão exigido para a manutenção da instituição.

Aquele que não corresponde se sente em falta. A falta é relativa a não desempenhar algo corretamente. Dela advém a culpa. Nietzsche, no final do século 19, identificava como sentimento de culpa a essa falta plantada em alguém pela pressão em corresponder a um conjunto de regras opressoras da moral. Não importa a época, nem o conteúdo dessa moral, o fato é que sempre há uma moral, sempre há um padrão a seguir e a culpabilização correspondente à impotência para adequar-se a ela. O mal, neste caso, é sentir-se inadequado. O inadequado faz qualquer coisa para eliminar a culpa. Sem saber que essa culpa não pode ser expiada no âmbito de uma sociedade cujo princípio do desempenho está em jogo.

Assim é que a sociedade do assédio é a sociedade da culpabilização. O endividamento, que se tornou tão comum ao nível compulsivo no capitalismo atual, é o gesto que busca conter a culpa. O culpado é a vítima que não sabe que é vítima. É quem paga uma espécie de dívida em abstrato. A sociedade do assédio é esta que precisa criar mecanismos para cobrar aquilo que ela deseja como resultado.

É neste contexto que a publicidade se torna instituição. Ela é responsável pelo assédio diário dos indivíduos para que desejem, queiram e comprem. Mas ela não o faz por criar desejos em um sentido genuíno. A publicidade não age na simples sedução. A sedução não seria tão insistente. A sedução está para Don Juan assim como o estupro para a publicidade. A insistência visa o consentimento da vítima. Mas se trata, no caso da publicidade, de uma violência que precisa do aval da vítima, ela precisa da adesão, daí que não se trate exatamente — ou tão somente — de estupro, mas justamente de assédio, um tipo de violência que esconde a sua violência. No fundo, há o estupro, mas ele está acobertado por camadas e camadas de acordos culturais aos quais a vítima deve aderir. O assédio é a violência que se esconde na aparência de impotência para a violência. Que se mascara no enredamento pseudossedutor. Que não deve chegar ao estupro, que não precisará dele, porque a vítima se entregará facilmente assim que se der conta de que não tem outro jeito. "Relaxe e goze" é a sentença cínica que avaliza o vínculo entre assediador e assediado, dando ganho de causa ao assediador. Não há desejo nesse "gozo". A administração do desejo é, na verdade, a da culpa que impede o real desejo. Assim é que é preciso fingir que o assediado deseja. Ele precisa crer que tem alguma vantagem. Sem crer nessa vantagem, ele poderia se rebelar e pôr tudo a perder.

Pressupõe-se uma vítima dócil. Daí que a prática deva parecer algo impotente. O caráter, por assim dizer, pedofílico, de todo assédio, tem a ver com essa aparência de fraqueza do próprio ato que se dirige a alguém inimputável e que, de algum modo, precisa consentir com o que se faz com ele. A propaganda para crianças é, a propósito, um exemplo dos mais cruéis a se levar em conta nesse caso, pois a infância é o estágio da vida em que as estruturas básicas da subjetividade estão sendo fundadas. Aquelas que aos poucos permitirão o discernimento, o julgamento, a reflexão relativa a todas as esferas da vida. A criança confia no adulto, assim como o cidadão rebaixado a consumidor confia na publicidade.

O assediado é vítima, mas, sobretudo, ele é sujeito de direito. E é isso que também deve se procurar esconder para que a cultura do assédio reproduza a si mesma infinitamente.

35. A lógica do estupro

Em *Eva e os padres*, livro do historiador Georges Duby, lemos a história de um tal Gervais de Tilbury que, passeando entre as vinhas na região de Champagne, encontrou uma moça. No relato, Gervais de Tilbury

> acha-a atraente, fala-lhe "cortesmente de amor lascivo", prepara-se para ir mais longe. Ela o trata com rudeza, recusa-se: "Se perder minha virgindade, serei condenada." Gervais cai das nuvens. Como se pode resistir a ele? Sem dúvida, essa mulher não é normal. É uma herética, uma dessas cátaras que se obstinam em considerar toda cópula diabólica. Ele tenta trazê-la à razão, não consegue. Denuncia-a. Ela é presa. Julgada. A prova é incontestável. Ela é queimada (p. 65).

Alguém poderá pensar na ironia da situação, considerando as notícias daquela época quanto à abominação ao sexo por parte da Igreja. No entanto, estamos diante de uma narrativa de perversão. A partir da intenção de Gervais de Tilbury, a moça em questão estava encurralada: ou cedia ou morria. Cedendo ou resistindo, ela não tinha saída. Que a prova de sua condenação fosse "incontestável" — afinal, é uma prova apresentada por um clérigo, um homem da Igreja! —, e que a moça tenha acabado na fogueira, seria já infinitamente perverso se não fosse, ao mesmo tempo que perverso, também assustadoramente atual.

36. Condenação prévia e responsabilidade

Esta situação perversa revela o que podemos chamar de "lógica do estupro", tal como ela funciona ainda hoje operando em nosso modo de pensar a relação sexual entre homens e mulheres (falo de homens e mulheres tendo em vista que estas categorias é que põem em jogo este tipo de violência). Na lógica do estupro, a vítima — uma mulher — não tem saída: de qualquer modo ela será condenada quando, de antemão e sem análise, ela já foi julgada. Cedendo ao estupro ou não, ela será condenada. A vítima é sempre questionada segundo a lógica do estupro que, desde a época da inquisição, era objeto de um sujeito que faria dela o que bem quisesse. O criminoso, na lógica do estupro, não é questionado, porque ele é homem e, segundo a lógica do estupro, não se objetifica um homem.

Na lógica do estupro toda e qualquer culpa recai sobre a vítima. Ao fazer recair a culpa sobre a vítima, o estuprador não é responsabilizado por seu ato. O estuprador projeta sua culpa no outro e pode aproveitar sua liberdade. Ora, um estuprador não consegue isso sozinho. Ele precisa do apoio de muita gente. De uma sociedade inteira. Na Idade Média, Gervais de Tilbury teve apoio total da Igreja e do tribunal que funcionava segundo leis da própria Igreja, leis feitas por padres: o tribunal da "Santa" Inquisição. "Santa", neste caso, também não é uma simples ironia, mas uma perversão.

Ora, ontem como hoje não há estuprador que queira responsabilizar-se por seu ato. Então, a sociedade pode ajudá-lo. O ato de responsabilizar-se implica a capacidade de reconhecer que outras pessoas "lesadas" por um ato têm o direito de reivindicar reparação. E o direito de exigir proteção contra o crime possível. Mas o estuprador não é culpado por seu ato porque ele age dentro da lógica sustentada socialmente, o que implica uma "razão" das coisas. Ou o estuprador age por razão, como o estuprador Gervais quando ele se achava com "a razão", ou por sua "natureza" de homem — que era sua "razão" —, achando-se "no direito" de fazer sexo com uma mulher a quem encontra por aí, independentemente da vontade dessa mulher de fazer sexo com ele. Isto é absurdo se pensamos segundo a lógica democrática, mas não é absurdo segundo a lógica do estupro que é antidemocrática e autoritária em seu âmbito mais íntimo e que serve para desresponsabilizar quem detém o poder. A melhor definição de ditadura que podemos usar é essa: ditadura é quando o poder mata sem precisar responsabilizar-se pelo que faz. O poder inventou a lógica do estupro, ou o estupro inventou a lógica do poder? A resposta é mais que simples.

37. Toda mulher é "estuprável" ou o sexo é apenas lógico

No caso da história contada anteriormente, a moça não foi estuprada por Gervais, mas era considerada por ele "estuprável". Foi para a fogueira porque se recusou ao sexo, mas também porque julgou o sexo que era dela demandado como algo que a prejudicaria. Porém, o estupro potencial que podemos ver neste caso não era visto por Gervais como um estupro. Era, segundo sua lógica de estuprador, apenas seu "direito". O sexo nele implicado não era considerado algo hediondo nem diabólico — embora fosse o único verdadeiramente hediondo e diabólico. Por um mecanismo projetivo pelo qual ela deveria ceder a um homem "irresistível", o próprio estupro era, naquele contexto, apenas uma espécie de sexo "lógico" na cabeça autoritária do estuprador. Não um estupro, porque estupro é um nome feio demais com o qual o estuprador não quer ser designado. O crime de Gervais não era, para ele, um crime. E por que não era um crime? Ora, simplesmente porque era ele — e sua instituição, a Igreja — quem ditava as regras, pervertendo o sentido das coisas e acusando o outro de não ter entendido este sentido. A moça — que era a vítima — é que foi acusada de crime numa inversão perversa que apenas a lógica do estupro é capaz de sustentar, lógica que é elementar no machismo universal a que mulheres estão submetidas há muito tempo.

Pela lógica do estupro, a mulher é sempre "caça", "presa". Pela lógica do estupro, pensa-se mais no "erro" da vítima do que no "erro" do criminoso. É como se a vítima fosse culpada por não ter escapado, por não ter corrido mais rápido, por não ter desaparecido antes. Ou por ter "parecido" mulher demais. No Brasil e em muitos outros países, como a Índia — para dar o exemplo do país mais estuprador do mundo —, a lógica do estupro faz com que mulheres precisem camuflar-se para sobreviver. Mas mesmo assim, bem protegidas, elas serão estupradas. Mesmo com burcas, porque, como a moça desejada por Gervais, o estuprador pensará como Gervais e lançará sobre ela sua condenação.

Melhor não parecer mulher demais, reza a lógica do estupro, mas acrescente-se que na lógica do estupro, ao mesmo tempo, faz-se a apologia da mulher objetificada pela indústria cultural da pornografia, na publicidade, no cinema, na moda, nas revistas e programas de televisão do chamado "universo feminino", uma das armadilhas mais bem-sucedidas na invenção do "ideal feminino". Na lógica do estupro a ambiguidade reina: ser mulher tem dois pesos e duas medidas que sempre são ditadas segundo a lógica do estupro típica da sociedade masculinista, machista, em resumo: patriarcal.

O status da mentalidade brasileira relativamente à questão do estupro define a vítima como culpada. Ora, a lógica do estupro não é outra que a da dominação em geral, mas aplicada às mulheres. É a mesma lógica que permitia que brancos — "donos" de negros por eles escravizados — privassem de liberdade, espancassem e matassem pessoas negras. É a mesma lógica, infelizmente, que se aplica por parte do governo — ou dos donos do poder em geral — aos pobres hoje em dia.

Tendo em vista ainda que a ampla campanha "Não mereço ser estuprada", que circulou pela internet, teve efeitos reativos tais como manifestações organizadas por grupos de homens que, como herdeiros de Gervais, o estuprador medieval, afirmam "Tenho direito de ser machista", podemos meditar um pouco mais na mentalidade estupradora, infelizmente comum tanto em homens quanto em mulheres. Pensemos, primeiramente, nas mulheres (os homens são um problema mais complicado de entender e falaremos deles mais à frente). Quanto às mulheres que pensam assim, podemos dizer que não refletiram sobre o que lhes concerne. Neste sentido, é preocupante que 65% dos entrevistados em uma pesquisa do Ipea (homens e mulheres) tenham concordado com a frase "mulheres que usam roupas que mostram o corpo merecem ser atacadas". Ao mesmo tempo, considerando que mais de 90% das pessoas entrevistadas pensam que "marido que bate em mulher deve ir para a cadeia", fica evidente a ambiguidade que habita a mentalidade quanto ao sentido da violência contra mulheres.

Das pessoas em geral não se pode dizer que sejam a favor da violência contra mulheres pura e simplesmente, mas que entendem que o estupro é um tipo de violência "diferente" em função de algo que a mulher fez — daí a questão do "merecimento". Esta violência que é o estupro — na lógica do estupro — é uma violência de certa maneira "merecida" pela vítima que, a rigor, não é mais tida como vítima, mas, numa inversão perversa, torna-se "culpada". Isso não quer dizer que 65% dos brasileiros sejam a favor do estupro, não é simples assim. Também não quer apenas dizer que o estupro seja um tipo de violência que tenha a participação da vítima como culpada. Não é lógico neste sentido. O estupro é o ato em que a outra — a estuprada — não tem nenhuma chance de defesa porque a priori está condenada.

38. O que é "ser mulher" enquanto "ser estuprável"?

Vivendo dentro da lógica do estupro, 65% da população pensam que ninguém deveria simplesmente ser mulher. Ora, o que é "ser mulher"? Não é possível usar qualquer tipo de essencialismo, qualquer definição seria um erro ontológico — a filosofia e a teologia, bem como todas as ciências e a sociedade como um todo, cometeram esse erro essencializando ou naturalizando as mulheres sob o termo "a Mulher". Ora, ser mulher relaciona-se a "parecer mulher" ou autodefinir-se como tal. Na lógica perversa do estupro, "ser mulher" é condição ontológica passível de estupro. Daí que machistas que incorporam a lógica do estupro se achem no direito de estuprar travestis, que também são mulheres. O estupro é como uma condenação dirigida a todos os que "são mulheres", seja porque se parecem — são heterodenominadas —, seja porque se autodenominam.

Portanto, na lógica do estupro, que rege a sociedade, o veredicto que se lança a qualquer mulher e: "Você está condenada ao estupro." E por quê? Porque, segundo essa lógica a mulher é ontologicamente condenável por ser/parecer mulher. Sua aparência, sua condição estética, apenas revela sua condição ontológica. Daí o apelo que o estuprador faz à roupa. Porque a roupa faz qualquer um parecer mulher e, ao parecer, ser mulher de alguma forma, ou seja, ser "estuprável".

39. Pensar na vítima e esquecer o criminoso

Até agora falamos muito da vítima que faz parte, que é a presa, da lógica do estupro. Mas é justamente a lógica do estupro, como dissemos, que faz pensar mais na vítima do que no criminoso. Por isso, é importante perceber que a lógica do estupro é a mesma que o regime nazista aplicou aos judeus nos anos 1940 do século 20, na Alemanha; que os judeus aplicam aos palestinos hoje; que os franceses aplicaram aos nigerianos; que os donos do maquidônaldis aplicam aos seus usuários e funcionários; que o governo aplica aos pobres sob o regime policial militar atual; que os ruralistas brasileiros aplicam aos índios brasileiros, afirmando que eles estão errados em suas reivindicações. São exemplos no mar de exemplos do mundo. O ódio ao outro se diz de muitos modos, muitos são vítimas do ódio patriarcal — capitalista, judaico--cristão-islâmico, europeu — e as mulheres sempre foram vítimas especiais desse ódio diretamente dirigido a elas dentro de casa e em todos os espaços visuais ou virtuais nos quais foram transformadas em objetos mistificados pela ambiguidade misógina que, às vezes, elogia para melhor poder dominar.

Os próprios homens, potenciais estupradores, podem se questionar sobre o sentido de ser algo como um "homem" em nosso mundo, tendo em vista a possibilidade do estupro. Cabe a toda a sociedade pensar a vítima, mas também a pouco percebida figura do "sujeito estuprador" que, salvo exceção, é sempre "homem" — qualquer exceção que venha a ser levantada confirmará a regra geral de que o estupro é realizado por homens contra mulheres e contra todos aqueles que tiverem características consideradas femininas, homossexuais, travestis. Crianças e animais inclusos.

40. Como alguém se torna um estuprador?

Gostaria de levantar alguns aspectos importantes a serem considerados, na tentativa de pensar a condição masculina enquanto potencialmente estupradora. A pergunta central que tenho em mente é a seguinte: "como alguém se torna um estuprador?" Penso que esta pergunta pode nos ajudar a pensar o estuprador que a sociedade — pais, professores, instituições, meios de comunicação de massa — cria diariamente. O estuprador é aquele que se vê tendo um estranho "direito ao estupro" como aquele que reivindica o "direito de ser machista". Ele só pode pensar assim porque é uma personalidade autoritária, que, como tal, não tem capacidade de ver o "outro". Paranoico, ele se sente o centro do mundo, o mundo no qual ele é o rei e a mulher é, quando muito, uma serva.

Neste sentido, todo estuprador é como Gervais de Tilbury, ele se acha um homem irresistível. E, como o cônego medieval, pensa que tem toda a razão ao desejar uma mulher e decidir queimá-la na fogueira porque não teve dela o que queria. Como Gervais de Tilbury, o estuprador, que reivindica à "Santa" Inquisição da sociedade o direito de ser machista e aviltar e violentar mulheres, é também um "histérico" que move um mundo — as redes sociais, por exemplo — para ocultar a ferida narcísica que a rejeição produziu nele. Ele disfarça até aniquilar o outro para poder ser alguma coisa. Muitos nunca pensaram na questão séria da histeria masculina porque, na lógica do estupro, só se deve pensar que mulheres é que são histéricas. Assim o estuprador, autoritário e irresponsável, mas, sobretudo, ele mesmo um histérico, reivindica a supremacia masculina na qual ele se compraz. Ainda vivemos na Idade Média. Só invertendo a lógica do estupro sairemos dela.

41. Ignorante com poder e sem poder — Um problema no âmbito da legalização do aborto

A frase, de um deputado conhecido, "aborto e regulação da mídia só serão votados passando por cima do meu cadáver", pronunciada no clima truculento que caracteriza a má política brasileira atual — salvo exceções, nunca é demais dizer —, provocou muitas críticas. A truculência passa por cima de mulheres que morrem vítimas da ilegalidade.

Militantes da questão do aborto voltaram a levantar argumentos em nome da legalização com a maior seriedade. Quem defende a legalização do aborto sempre toma o cuidado de deixar claro que ninguém é a favor do aborto puro e simples. Que a questão do aborto é a do direito das mulheres à saúde e ao seu próprio corpo, bem como à sua escolha de vida. Quem fala em nome da legalização do aborto põe em cena a exigência de respeito própria ao desejo de democracia que ainda nos permite viver em sociedade.

A ignorância prepotente e truculenta não se cansa de falar sobre o aborto, tal é o sucesso de grosserias que parlamentares vêm dizendo há tempos entre eleitores igualmente grosseirões. Por que não se calam? Podemos nos perguntar, mas não podemos perguntar a eles. Seria uma grosseria do mesmo nível. E, pior: não seria escutada. Problema é que aqueles que falam contra a legalização não ouvem o que dizem aqueles que a defendem. Não ouvem as próprias mulheres enquanto legislam sobre elas. O desafio de falar com um fascista tem relação direta com o pseudodebate travado por homens em torno de uma questão que é de mulheres.

Os desentendidos falam demais. E porque falam pensando que dizem verdades, não se calarão. Consideram a si mesmos, como qualquer personalidade autoritária, donos do outro a quem tomam por "ninguém". São atualmente os donos do Brasil e agem como donos dos corpos e mentes das brasileiras que, de algum modo, eles levam à morte, no contexto do aborto ilegal. É o mesmo caso com a ilegalidade das drogas. A ilegalidade mata. Ela é a garantia de que os abandonados pelo Estado não incomodarão nunca mais.

Enquanto mulheres morrem, a fala estúpida do deputado reverbera em mentes ignorantes que se regozijam com clichês. Quem ama os clichês — como Eichmann e Hitler — deve se pensar o mais inteligente dos homens como só os canalhas pensam acerca de si mesmos.

Certamente o papel de um parlamentar não é uma questão para quem se pronuncia dessa maneira. Certamente quem se pronuncia dessa maneira não foi ensinado a escutar. A palavra diálogo certamente não faz parte da gramática da agressividade, que é o jogo de linguagem no qual parlamentares dessa linhagem alimentam seu espírito autoritário.

Mas penso que há uma diferença entre os ignorantes. Entre aquele que vota e aquele que é eleito. Um é simples, sem poder; o outro é complexo, com poder. Um deputado não é evidentemente um ignorante simples. Ele é um ignorante complexo porque tem poder. O que se pode fazer para deter os efeitos da ignorância complexa que é a de quem tem poder? O que se pode fazer para evitar que a ignorância prepotente, essa ignorância que se constitui em comunidade, tome o poder?

42. As pessoas não sabem o que dizem quando falam contra a legalização do aborto

É bom divulgar argumentos relativos à saúde das mulheres, ao direito sobre o corpo, ao preconceito religioso e de classe que impera na mentalidade geral sobre o tema do aborto. Mas é bom também levantar o sentido dessa ignorância comum, pois as pessoas não sabem o que dizem quando essa é a questão. Na falta de expressão, elas usam a frase feita, a ideia construída pela ignorância. É a falsa expressão o que está em cena quando se fala preconceituosamente sobre aborto. As pessoas não falam o que realmente pensam, elas simplesmente repetem discursos a partir do que é transmitido por igrejas e meios de comunicação de massa comprometidos com o poder na sua forma de opressão. Oprimir as mulheres não é novidade nenhuma. O ódio no discurso contra a legalização do aborto defende ocultamente a morte das mulheres pobres ou desamparadas legalmente no seu ato comum de abortar.

43. O aborto e a bondade das pessoas de bem

Algumas vezes escrevi sobre a questão do aborto. Outras tantas entrei em debates. Alguns foram os mais estranhos, com homens que não escondiam o autoritarismo de suas convicções relativamente ao que pensavam sobre o tema. De um modo geral, os homens defendem as perspectivas biopolíticas clássicas que implicam as mulheres no papel reprodutivo da espécie humana, ou defendem o argumento bastante tosco e facilmente descartável relativo à "vida" do embrião.

No primeiro caso, as mulheres devem ser convencidas — e o foram historicamente — de que a maternidade é o que lhes importa na vida. Que todo o sentido que possam dar às suas vidas virá da maternidade. No segundo caso, encontramos a falácia do apelo à "vida" do embrião, falácia que escamoteia a desvalorização da vida das mulheres — em todos os sentidos que se possa dar à palavra vida, seja como categoria biológica, seja como categoria política. Nestes argumentos altamente falaciosos, a vida dos filhos, e do embrião é sempre mais importante do que a da mulher que os sustenta. O discurso típico da dominação masculina é biopolítico de qualquer esfera, ele está presente na sociedade, configurando o machismo estrutural ao qual todos estão submetidos, uns como sujeitos oprimidos, outros como sujeitos de privilégios.

O tema do aborto é usado estrategicamente como uma espécie de eixo do dispositivo de poder biopolítico contra as mulheres. Legalizar o aborto seria, neste aspecto, a única forma de produzir um cenário onde direitos em geral fossem assegurados.

Quando as próprias mulheres que deveriam ser tratadas por todos — e por elas mesmas — como sujeitos de direito, caem no discurso da dominação masculina, ajudando a reproduzi-lo, então temos o que se chama de "ideologia espontânea". Elas participam do círculo cínico do machismo em que um acordo entre o mentiroso e sua vítima está assegurado. As mulheres deixam de ser sujeitos de direito, deixam de ser cidadãs e se tornam objeto dócil da dominação patriarcal que as escraviza. Tornam-se dóceis escravas voluntárias no momento em que abdicam de pensar, refletir e agir, bem como de responsabilizar-se pelo que querem e fazem. Não quero com isso colocar a culpa sobre o estado da questão nas mulheres. Ao contrário, é preciso dizer que o processo de dominação e controle foi tão profundo em relação ao tema da soberania corporal — na qual se inclui a questão da maternidade e do aborto —, que as mulheres são culpabilizadas sem chance de defesa. Elas introjetam a culpa. A sociedade que não legaliza o aborto afirma e mantém a culpa das mulheres. Mantém as mulheres no âmbito da velha "menoridade" com que historicamente elas foram tratadas no campo do direito e da filosofia.

Essa sociedade não é democrática, pois não confere ao sujeito "mulher" nem a liberdade nem a responsabilidade sobre sua liberdade. Para que haja liberdade é preciso haver decisão e responsabilidade, e decisão e responsabilidade geram liberdade. Ora, a sociedade da culpabilização é a sociedade que mata as mulheres pela culpa e pela ausência de direitos. Ao mesmo tempo, coloca a questão do aborto como se fosse um problema que não concerne a elas. A questão da liberdade das mulheres, seja como autonomia, seja como soberania, está fora de questão em uma sociedade de dominação masculina. Nessa sociedade os homens decidem, ou a moral e a epistemologia masculinista dão as regras do jogo contra o direito das mulheres de decidir sobre sua vida e seu corpo.

44. A postura a favor da ilegalidade

Em um debate, cheguei a ouvir uma médica falando contra o aborto. Ela se vangloriava de atender uma mulher — evidentemente pobre — que iria parir o seu nono filho antes dos 35 anos de idade. Ora, quem é contra o aborto legal incorre inevitavelmente na defesa da ilegalidade e da criminalização do aborto. Quem defende a legalização do aborto, todavia, não incorre na defesa do aborto em si — na falácia do aborto como medida contraceptiva, por exemplo. O aborto, aliás, não é uma questão sobre a qual se possa falar sem muito cuidado, na medida em que o aborto nunca é uma questão em si. Existem critérios médicos que devem ser respeitados para evitar riscos para a mulher grávida.

O fato é que a médica, que não parecia ter muita noção do que falava, e que falava em nome de uma paciente sem que pudéssemos ouvir a versão da própria paciente, era uma pessoa mal-intencionada. Obviamente não uma pessoa "malignamente" intencionada, no sentido de querer destruir por destruir a vida de outras mulheres. Ao contrário, ela até defendia o que entendia ser a felicidade de sua paciente. A mulher pobre, negra, desempregada e moradora de periferia, era vista pela médica — branca, de uma classe social favorecida — como uma figura que alcançava a felicidade por meio de sua realização como mãe. Mãe não de uma criança apenas, mas de uma vasta prole. Fiquei pensando na quantidade de filhos que aquela mulher branca e rica, médica, deveria ter. Mas não achei que fosse oportuno perguntar naquele momento. Fiquei com medo de cometer uma falácia *ad hominem* que é aquela pela qual atacamos o sujeito que profere uma opinião e não a opinião mesma.

A defesa da ideologia da maternidade feita pela médica era realmente ingênua e até dava a impressão de que ela era uma boa pessoa. E não duvido que fosse uma pessoa "boa", mas era impossível não ter em vista que ela praticava um tipo bem perverso de bondade. Aquela bondade que, na verdade, acoberta uma maldade sem igual. A bondade entre aspas, que causa efeitos maléficos e que não se responsabiliza pelo que faz. Efeitos em cujo fundo se pode perguntar se não reside algo de muito maligno na forma de uma ideia ou princípio que é pregado contra o outro, mascarando-se de ser a seu favor.

Ouvindo aquela médica, naquela hora, me lembrei dos pregos nas mãos de Cristo e de um documentário de Carla Gallo, *O aborto dos outros*, no qual uma mulher — evidentemente pobre — aparecia algemada por ter feito um aborto. No caso da defesa da ilegalidade do aborto que muita gente, homens brancos e ricos, e suas mulheres brancas e ricas, fazem, não era a banalidade do mal o que a médica praticava, mas a "malignidade do bem".

A ilegalidade do aborto é defendida por pessoas de bem. Os menos cuidadosos, do ponto de vista da reflexão que deveria levar em conta a alteridade, podem pensar que quem defende a legalização do aborto é gente má, imoral, sem ética. Falta um raciocínio mais cuidadoso sobre os efeitos performativos das "bondades" dos homens e das mulheres de bem. Quem defende os direitos fundamentais das mulheres não cansa de falar para defender a legalização do aborto, sem julgar os motivos pelos quais uma mulher toma essa decisão. Esses motivos concernem apenas a ela e a quem ela quiser partilhar esse direito.

A legalização é urgente, o resto é mistificação e acobertamento ideológico promovido no círculo cínico da linguagem para submeter, humilhar e assassinar mulheres pobres.

As demais fazem o aborto que querem em clínicas bem pagas.

45. "Olho gordo" — Uma pequena nota sobre a inveja, o medo e ódio na televisão

No Brasil a televisão substituiu os livros. Isso não quer dizer que quem vê televisão não lê livros, mas quer dizer que existe uma cultura em que a televisão tem um poder tão incrível que dispensa outras experiências "intelectuais". Não nos enganemos, a televisão é uma experiência intelectual, uma experiência de conhecimento, só que empobrecida. A televisão opera com a nossa inveja. A metáfora do "olho de vidro" lhe cai bem, não apenas porque essa metáfora explica o lugar da televisão como "prótese de conhecimento", mas porque o olho de vidro tem a estrutura da inveja. A televisão é um "olho gordo" de vidro.

A inveja é um tipo de desejo impotente. O invejoso é sempre impotente. Ele olha para o invejado e se sente menor, daí a sua raiva, o seu rancor, o seu ressentimento. Ele gostaria de ser o outro, mas não é. A vida do invejoso é muito triste porque ele não pode fazer nada. Ele não pode ser outra pessoa, ele não pode ser melhor do que é. Mas ele está só delirando, porque ele poderia aprender a desejar a si mesmo e ser uma pessoa diferente.

O telespectador é aquela pessoa que é orientada à inveja, não ao desejo. Qual a diferença entre uma coisa e outra? É que a inveja faz você imitar o outro enquanto o desejo permite a você se inventar. O invejoso não quer ser uma pessoa singular. Em vez de olhar para seu corpo, sua roupa, seu trabalho, sua vida em geral como se fosse uma obra de arte a ser construída, ele se olha como um erro que só pode ser consertado por imitação de um modelo. É esse modelo que ele inveja. Então ele imita.

A imitação faz comprar. Comprar, aliás, já é um ato de imitação. O outro comprou e eu também compro. O outro usa e eu também uso. No extremo, o outro vê um filme, uma novela, e eu também vejo. Assim a pessoa se sente poderosa, fazendo a "coisa certa", tendo vantagem. "Desejo de audiência" é o nome desse processo de imitação que é o mecanismo social da inveja.

A televisão tenta administrar os afetos das pessoas. A inveja é um afeto bem primitivo. A cada época a televisão administra afetos e sentimentos. A inveja é básica na televisão. É o pano de fundo, o chão, a sustentação da experiência que a gente tem com a TV. Mas hoje em dia outros sentimentos estão em jogo.

Em nossa sociedade quem quer ter poder usa o medo contra a população. Fala-se de "cultura do medo". Ela é introduzida todo dia nas casas das famílias por meio da televisão.

As pessoas não sabem como a televisão lhes faz mal. Quem tem preconceito contra maconha, por exemplo, deveria se questionar, porque a maconha pode ser uma coisa boa para muitas pessoas. Seria bom tentar entender isso. Mas a televisão, do jeito que ela é usada, não faz bem. Ela tem um efeito de uma droga muito pesada e destrutiva.

Preconceito não é bom, mas é incrível como as pessoas erram o alvo do preconceito. Porque se fossem usar aquela parte do preconceito que é um fundo de crítica para entender as coisas, deviam usar para entender a televisão. As pessoas não fazem ideia dos malefícios que a televisão causa em suas vidas. Um malefício político, porque de tanto ver televisão são convencidas a ficar em casa trancadas e bem distantes das questões políticas, que decidem sobre suas próprias vidas. Veem bandidos na televisão e acham que, diante da televisão, estão a salvo deles. A televisão lhes oferece imagens de crimes e, ao mesmo tempo, oferece a prisão diante da tela dentro de casa. Pensemos se isso não faz sentido.

As pessoas são convencidas diante da tela a pensar que a televisão vai lhes dar tudo o que elas precisam saber. As pessoas que ficam sentadas na frente da tela não sabem o que está lhes acontecendo. Não sabem que perderam a sua capacidade de entender. Não sabem que simplesmente repetirão o que a televisão lhes deu. Mas erram também porque pensam que a televisão lhes deu alguma coisa de graça, quando é óbvio que a televisão apenas lhes vendeu alguma coisa. E lhes vendeu coisas horríveis, como preconceitos. E medo, muito medo, porque sem medo a televisão mesma já não sobreviveria como a indústria e o mercado que ela é.

A tela da televisão é uma vitrine. Isso todo mundo também sabe. Mas é uma vitrine que vende sentimentos. Então as pessoas ficam paradas diante dela se enchendo de inveja e de medo. E isso traz muitas vantagens para a vida como um todo: se as pessoas não tivessem esses sentimentos, elas fariam outras coisas da vida e muitas coisas seriam diferentes. Mas a televisão promove a distração e um tipo de relaxamento político. Ao mesmo tempo que promove excitação para o consumo. A televisão é uma prótese também dos sentimentos. Ou seja, ninguém precisa sentir outra coisa senão o que ela propõe sentir. Quem vê televisão, seja novela, jornal, ou reality show, tem que ficar atento quanto ao conteúdo e à forma do que está sendo convencido.

No Brasil atual, o poder tem usado o ódio. E a televisão, que é um braço do Estado e do Capital, começa a vender ódio. O solo fértil do ódio é a inveja. O ódio é a concretização da inveja. Por que o ódio é a ação violenta por palavras e atos. Um invejoso compra o ódio sem se preocupar com o preço que paga. Porque, por meio do ódio, ele pode destruir aquilo que ele inveja. E aplacar seu próprio vazio. As ações do ódio estão em alta no meio televisivo e também nas redes sociais que imitam a televisão (num gesto de multiplicação invejosa...).

Os que gritam contra os meninos de periferia, contra negros, contra transexuais, contra mulheres, contra indígenas, escondem, com seu ódio, uma inveja de fundo. Eles olham o mundo com olhos gordos de vidro. Na base da inveja há um embotamento subjetivo, uma burrice emocional até. O invejoso é um embotado que não consegue inventar uma vida de desejo. Ele não vê nada, porque usa olhos de vidro. Então ele se realiza por meio da violência porque não consegue ver, nem sentir nada melhor. Ele aprendeu isso diante da tela da televisão.

A gente deveria sentir pena do invejoso, porque ele foi criado no medo. Mas o ódio que é um olho gordo explosivo destrói e, contra ele, só muita ética e muita política. Por isso, nesse Brasil, temos que tomar outro rumo. Aprender a ver com melhores olhos os outros que sofrem, e aprender a olhar mais para si mesmo.

46. Coronelismo intelectual

Podemos chamar de "coronelismo intelectual" a prática autoritária no campo do conhecimento. Este campo é extenso, ele começa na pesquisa científica universitária e se estende pela sociedade como um todo, dos meios de comunicação ao básico botequim onde ideias entram em jogo. Coronelismo intelectual é a postura da repetição à exaustão de ideias alheias. A reflexão só atrapalharia, por isso é evitada.

Encarnação de prepotente eloquência, o paradoxo do coronelismo é alimentar uma ordem coletiva de silêncio em que o debate inexiste, o culto da verdade pronta ou da ignorância é a regra, bem como a apologia ao gesto de falar sem ter nada a dizer que culmina no discurso tão vazio quanto maldoso da fofoca, versão popular do eruditismo, ambos parte do consumismo da linguagem em voga. Não há muita diferença entre a mesa de bar e a mesa-redonda dos acadêmicos parafraseando qualquer filósofo clássico apenas pelo amor ao fundamentalismo exegético.

Enquanto se fala sem nada dizer, ajudados pelo jornalista que repete o que se entende pela sacrossantificada "informação", mercadoria da contrarreflexão atual, os coronéis podem comentar que os outros é que não sabem nada e praticar o "discurso verdadeiro" em seus artigos estilo "mais do mesmo", moedinha cadavérica com que se enche o cofrinho das plataformas de medição de produtividade acadêmica em nossos dias.

O coronelismo intelectual infelizmente segue forte na filosofia e nas ciências humanas, na verdade dos especialistas, tanto quanto na dos ignorantes que se separam apenas por titulação ou falta dela. Professores e estudantes, sábios e leigos, todos se servem metodologicamente dos frutos dessa árvore apodrecida. A prática do pensamento livre que se autocritica e busca, consciente de sua inconsciência, seu próprio processo de autocriação talvez seja a contraverdade capaz de cortá-la pela raiz.

47. Intelectual serviçal

Eis a cultura do lacaio intelectual, do bom serviçal sempre pronto à reprodução do mesmo. Nela, a boa ovelha especializada em assinar embaixo as verdades do senhor feudal, que um dia as emitiu num ritual de sacralização, já não é fácil de se distinguir do lobo. A semelhança entre o puxa-saco, o crente e o líder paranoico que o conduz revela a verdade do mimetismo. Os seguidores dos líderes de rabinho entre as pernas latem para mostrar que aprenderam bem o refrão. Abanam as asas em redor da lâmpada esperando que ela também fique onde está, do contrário, não saberiam o que fazer.

As consequências do coronelismo, em um país de antipolítica e antieducação generalizada como o Brasil, é algo ainda mais grave do que o medo de pensar. É o fato de que já não se pensa mais. A ausência de debate não é o medo de expor ideias, mas a falta delas. Inação é o corolário da impossibilidade de mudar, porque o campo das ideias onde surge a vida já foi minado. O coronel ri sozinho da impossibilidade de mudanças, pois ele ama a monocultura enquanto odeia o cultivo de ideias diferentes ou de ideias alheias. O autoritarismo intelectual não é feito apenas de ódio ao outro, mas da inveja de que haja exuberância criativa em outro território, em outra experiência de linguagem. Conservadorismo é seu nome do meio.

Coronelismo não é simplesmente a zona cinzenta onde não podemos mais distinguir o ignorante do culto, mas a política generalizada introjetada por todos — salvo exceções — pela letal dessubjetivação acadêmica da qual somos vítimas enquanto algozes e que, no campo do senso comum, surge como robotização e plastificação das pessoas entregues como zumbis aos mecanismos do nonsense geral que, é preciso cuidar, deve ser aparentemente desejável pela pretensa liberdade de cada um.

Contra a escravidão intelectual somente um contradesejo pode gerar emancipação. A prática da invenção teórica, a liberdade da interpretação e da expressão nos obrigam a ir contra os ordenamentos da ditadura micrológica do cotidiano em que a lei magna reza o "proibido pensar". A direção, como se pode ver, parece que só se encontra, atualmente, no desvio dos caminhos dados.

48. A arte de escrever para idiotas

Marcia Tiburi e Rubens Casara

Para aqueles que não lerão este artigo
(e para os que amam a ironia)

Em nossa cultura intelectual e jornalística surge uma nova forma retórica. Trata-se da arte de escrever para idiotas que, entre nós, tem feito muito sucesso. Pensávamos ter atingido o fundo do poço em termos de produção de idiotices para idiotas, mas proliferam subformas, subgêneros e subautores que sugerem a criação de uma nova ciência.

Estamos fazendo piada, mas quando se trata de pensar na forma assumida atualmente pela "voz da razão" temos que parar de rir e começar a pensar.

Artigos ruins e reacionários fazem parte de jornais e revistas desde sempre, mas a arte de escrever para idiotas vem se especializando ao longo do tempo e seus artistas passam da posição de retóricos de baixa categoria para príncipes dos meios de comunicação de massa. Atualmente, idiotas de direita têm mais espaço do que idiotas de esquerda na grande mídia. Mas isso não afeta em nada a forma com que se pode escrever para idiotas.

Diga-se, antes de mais nada, que o termo idiota aqui empregado guarda algo de seu velho uso psiquiátrico. Etimologicamente, "idiota" tem relação com aquele que vive fechado em si mesmo. Na psiquiatria, a idiotia era uma patologia gravíssima e que, em termos sociais, podemos dizer que continua sendo muito grave.

Uma tipologia psicossocial entra em jogo na história, baseada em dois tipos ideais de idiotas: o idiota de raiz, dentre os quais se destaca a subcategoria do idiota representante do conhecimento paranoico, e o neoidiota, com destaque para o idiota mercenário que lucra com a arte de escrever para idiotas.

Vejamos quem são:

1. O idiota de raiz é fruto de um determinismo: ele não pode deixar de ser idiota. Seja em razão da tradição em que está inserido ou de um déficit cognitivo, trata-se de um idiota autêntico.

O idiota de raiz divide-se em três subtipos:

1.1 Ignorante orgulhoso: não se abre à experiência do conhecimento. Repete clichês introduzidos no cotidiano pelos meios de informação que ele conhece — a televisão e os jornais de grande circulação —, em que a informação é controlada. Sua formação é "midiatizada", mas ele não sabe disso e se orgulha do que lhe permitem conhecer. No limite, o ignorante orgulhoso diz "sou fascista", sem conhecer a experiência do fascismo clássico da década de 1930 e o significado atual da palavra, assim como é capaz de defender, sem razoabilidade alguma, ideias sobre as quais ele nada sabe. Um exemplo muito atual: apesar da violência não ter diminuído nos países que reduziram a maioridade penal, a ignorância da qual se orgulha o idiota o faz defender essa medida como solução para os mais variados problemas sociais. Ele se aproxima do "burro mesmo" enquanto imita o representante do conhecimento paranoico, apresentados a seguir.

1.2 "Burro mesmo": não há muito o que dizer. Mesmo com informação por todos os lados, ele não consegue juntar os pontinhos. Por exemplo: o "burro mesmo" faz uma manifestação "democrática" para defender a volta da ditadura. Para bom entendedor, meia palavra...

1.3 Representante do conhecimento paranoico: tendo estudado ou sendo autodidata, o representante do conhecimento paranoico pode ser, sob certo aspecto, genial. Freud comparava, em sua forma, a paranoia a uma espécie de sistema filosófico. O paranoico tem certezas, a falta de dúvida é o que o torna idiota. Se duvidasse, ele poderia ser um filósofo. O conhecimento paranoico cria monstros que ele mesmo acredita combater a partir de suas certezas. O comunismo, o feminismo, a política de cotas ou qualquer política que possa produzir um deslocamento de sentido e colocar em dúvida suas certezas, ocupa o lugar de monstro para alguns paranoicos midiaticamente importantes.

1.4 Curioso é que o representante do conhecimento paranoico pode parecer alguém inteligente, mas seu afeto paranoico o impede de experimentar outras formas de ver o mundo, abortando a potência de inteligência, que nele é, a todo o momento, mortificada. Isso o aproxima do "ignorante orgulhoso" e do "burro mesmo".

Em termos vulgares e compreensíveis por todos: ele é a brochada da inteligência.

2. O neoidiota: o neoidiota poderia não ser um idiota, mas sua escolha, sua adesão à tendência dominante, o coloca nesse lugar. Não se pode esquecer que, além de cognitiva, a inteligência é uma categoria moral. O neoidiota não é apenas um idiota, mas também um canalha em potencial.
Há dois subtipos de neoidiota:

2.1 O "idiota" mercenário quer ganhar dinheiro. Ele serve aos interesses dominantes, mas é um idiota como outro qualquer, porque não ganha tanto dinheiro assim quando vende a alma.
Nessa categoria, prevalece o mercenário sobre o idiota. Por isso, podemos falar de um idiota entre aspas. Ganha dinheiro falando idiotices para os idiotas que o lerão. Seu leitor padrão divide-se entre o "burro mesmo" e o "idiota cool". Ele escreve aquilo que faz o "burro mesmo" pensar que é inteligente. O "idiota cool", por sua vez, se sente legitimado pelo que lê. O que revela a responsabilidade do idiota mercenário no crescimento do pensamento autoritário na sociedade brasileira. Apresentar Homer Simpson ou qualquer outro exemplo de "burro mesmo" como modelo ideal de telespectador ou leitor é paradigmático nesse contexto.

2.2 O "idiota cool" lê o que escreve o idiota mercenário. Repete suas ideias na esperança de ser aceito socialmente. De ter um destaque como sujeito de ideias (prontas). Ele gosta de exibir sua leitura do jornal ou do blog e usa as ideias do articulista — do representante do conhecimento paranoico ou do idiota mercenário — para tornar--se cool. Ele segue a tendência dominante. Ao contrário do "burro mesmo", nele sobressai o esforço para estar na moda. Como, diferentemente dos seus ídolos, ele não escreve em jornais ou blogs famosos, ele transforma o Facebook e outras redes sociais no seu palco.

Diante disso, temos os textos produzidos a partir da altamente falaciosa arte de escrever para idiotas. O sucesso que alcançam tais textos se deve a um conjunto de regras básicas. Identificamos dez, mas a capacidade para escrever idiotices tem se revelado engenhosa e não deve ser menosprezada:

* Tratar como idiota todo mundo que não concorda com as idiotices defendidas. O texto é construído a partir do narcisismo infantil do articulista. O autor sobressai no texto, em detrimento do argumento. Assim ele reafirma sua própria imagem desqualificando a diferença e a inteligência alheia para vender-se como inteligente;

* Não deixar jamais que seu leitor se sinta um idiota. Sustentar idiotices com as quais o leitor (o burro mesmo, o ignorante orgulhoso e o idiota cool) se identifique, o que faz com que o mesmo se sinta inteligente;

* Abordar de forma sensacionalista qualquer tema. Qualquer assunto, seja socialmente relevante ou não, acaba sendo tratado de maneira espetacularizada;

* Transformar temas desimportantes em instrumentos de ataque e desqualificação da diferença. Por exemplo, a "depilação feminina" já foi um assunto apresentado de modo enervante, excitante, demonizante e estigmatizante por certos praticantes dessa arte. Nesse caso, o preconceito de gênero escondeu a falta de assunto do articulista;

* Distorcer fatos históricos adequando-os às hipóteses do escritor. Em uma espécie de perversão inquisitorial, o acontecimento acaba substituído pela versão distorcida que atende à intenção do autor do texto para idiotas;

* Atacar alguém. Este é um dos aspectos mais importantes da arte de escrever para idiotas. A limitação argumentativa esconde-se em ataques pessoais. Cria-se um inimigo a ser combatido. O inimigo é o mais variado, mas sempre alguém que representa, na fantasia do escritor, o ideal contrário ao dos seus leitores (os idiotas: o burro mesmo, o ignorante orgulhoso e o idiota cool);

* Reduzir tudo a uma visão maniqueísta. Toda complexidade desaparece nos textos escritos para idiotas. O mundo é apresentado como uma luta entre o bem e o mal, o certo e o errado, o comunismo e o capitalismo ou Deus e o Diabo;

* Desconsiderar distinções conceituais. Nos textos escritos para idiotas, conservadores são apresentados como liberais, comunistas são confundidos com anarquistas etc.;

* Investir em clichês e ideias fixas. Clichês são pensamentos prontos e de fácil acesso. Sem o esforço de reflexão crítica, os clichês dão a sensação imediata de inteligência. Da mesma maneira, o recurso às ideias fixas é uma estratégia para garantir a atenção do leitor idiota (o burro mesmo, o ignorante orgulhoso e o idiota cool) e reforçar as "certezas" em torno das hipóteses do escritor — nesse particular, Goebbels, o chefe da propaganda de Hitler, foi bem entendido;

* Escrever mal. A pobreza vernacular e as limitações gramaticais são essenciais na arte de escrever para idiotas. O leitor idiota não pode ser surpreendido, pois pode se sentir ofendido com algo mais inteligente do que ele. Ele deve ser capaz de entender o texto ao ler algo que ele mesmo pensa ou que pode compreender. Deve ser adulado pela idiotice que já conhece ou que o escritor quer que ele conheça.

(Para além do que foi identificado anteriormente, fica a questão para quem deseja escrever para idiotas: como atingir a pobreza essencial na forma e no conteúdo que concerne a essa arte?)

A arte de escrever para idiotas constitui parte importante da retórica atual do poder. Saber é poder, falar/escrever é poder, e o idiota que fala e é ouvido, que escreve e é lido, tem poder. O empobrecimento do debate público se deve a essas "cabeças de papelão", fato que é identificado tanto por pensadores conservadores quanto por progressistas.

O grande desafio, portanto, maior do que o confronto reducionista entre direita e esquerda, desenvolvimentistas e ecologistas, governistas e oposicionistas, entre machistas e feministas, parece ser o que envolve os que pensam e os que não pensam. Sem pensamento não há diálogo possível, nem emancipação em nível algum. Se não houver limites para a idiotice, ao contrário da esperança que levou a escrever este texto, resta isolar-se e estocar alimentos.

49. O consumismo da linguagem

Um dos traços da cultura de hoje em dia é a proliferação dos textos, das ideias e das opiniões. Falamos muito, dizemos demais. Emitir informação particular tornou-se um hábito desde a invenção da internet e, mais ainda, das redes sociais. Dá para dizer que vivemos hoje nos excessos da linguagem, proliferando e replicando tudo o que nos aparece pela frente. Se, como dizia Wittgenstein, os limites do mundo são os limites da minha linguagem, então, acreditamos que, pela quantidade, nos tornamos grandes pessoas vivendo em mundos muito vastos.

Nem sempre há critérios na realização de nossos atuais atos de linguagem. Falamos muito e pensamos pouco no que dizemos. Por um lado, talvez estejamos pensando rápido demais, por outro, talvez estejamos confiando demais nos pensamentos prontos que nos vão servindo enquanto não encontramos coisa melhor. No meio dos emaranhados da linguagem nos quais nos enredamos, perdemos a chance de compreender por que pegamos a primeira explicação no mercado das ideias que nos aparecem como que expostas em uma prateleira de ofertas. Seguimos deixando de lado a potencialidade de compreender. O que já está explicado nos serve bem. Enquanto isso, na democracia dos afetos, uma angústia está sendo partilhada entre nós. Como toda angústia, ela não tem um rosto definido. E isso apenas causa mais e mais angústia. Uma angústia que contamina tudo o que se diz sem que, ao mesmo tempo, se possa saber exatamente o que ela quer dizer.

Não é incomum a sensação de que, em meio a tanta coisa já dita e ainda sendo dita, não se tem muito mais a dizer e que, por isso mesmo, se deveria tentar dizer alguma coisa nova. Ou calar-se de vez. Resvalar na própria intenção e dizer "qualquer" coisa é, no entanto, muito mais fácil. Há um prazer em falar que não se compara ao prazer de calar, ele mesmo atualmente bem enfraquecido. É claro que em uma sociedade em que se controlam e se administram os prazeres fomenta-se a falação e não o silêncio. O barulho serve a muita coisa, sobretudo à geração do vazio.

Perder de vista o vazio do pensamento, e o vazio das próprias emoções que levam a falas em si mesmas vazias, faz parte do projeto de sociedade atual. É complicado dizer "projeto de sociedade" porque a sociedade, esse todo auto-organizado, parece justamente não projetado e sustentado no vazio. A vontade de dizer sem ter nada a dizer vem a ser um retrato de como estamos socialmente perdidos nesse vazio coletivizado e democratizado. Perdidos em um grande desencontro que é impossível considerar que tenha sido orquestrado.

Nesse vazio geral não sabemos também a quem endereçar nossos dizeres. Essa falta de lugar combinada com a compulsão a dizer gera desastres. Os afetos que constroem um clima caótico são os mesmos que levam a um clima odioso entre nós hoje. Esses últimos soam absurdos. Quem é alvo de uma fala odiosa, por exemplo, percebe o sem sentido daquilo que é dito. Quem é vítima de uma fala odiosa sabe, mesmo que não elabore dessa maneira, que o que é dito é fruto de uma tentativa de se dizer qualquer coisa para um alvo qualquer. Ninguém gostaria de ser alvo de uma fala endereçada a qualquer um. Muito menos de uma fala lançada a esmo sobre um alvo previamente eleito sem nenhum critério, que ultrapasse aquilo que chamamos de idiossincrasia, uma escolha aparentemente irracional. O preconceituoso pode ser o machista que ataca as mulheres, pode ser o racista que ataca os negros, pode ser o homofóbico. No fundo, contudo, essa fala aparentemente espontânea e irracional é cheia de racionalidade, aquela que instrumentaliza, transforma uma pessoa em qualquer coisa. Palavras viram armas. O preconceito é um tipo de injustiça que se expõe na linguagem, mas também se cria por meio dela. É neste sentido que se pode dizer que falando estamos fazendo.

Se levarmos em conta que falar qualquer coisa está muito fácil, que falamos em excesso e falamos coisas desnecessárias, um novo consumismo emerge entre nós, o consumismo da linguagem. O problema é que ele produz, como qualquer consumismo, muito lixo. E o problema de qualquer lixo é que ele não retorna à natureza como se nada tivesse acontecido. Ele altera profundamente nossas vidas em um sentido físico e mental. O que se come, o que se vê, o que se ouve, numa palavra, o que se introjeta, vira corpo, se torna existência.

50 Deriva

Talvez a nossa sensação de perdição encontre uma imagem na metáfora do mar onde alguém está à deriva. Há tempos que se usa a metáfora da navegação para compreender o que é a internet, por exemplo. Nossas mensagens nas redes sociais são como aquelas famosas garrafas lançadas ao mar, na expectativa de que alguém saiba onde estamos e venha nos salvar da nossa perdição. A metáfora da garrafa lançada ao mar faz sentido em uma época em que navegar na internet é preciso e viver, ora, como dizia a música, viver não é preciso. Esse não viver concerne ao "virtual" onde é fácil realizar-se hoje em dia. Realizar-se no paradoxo da irrealização. Acostumamo-nos à deriva que é essa vida virtual e ela faz as vezes de certeza. Uma certeza por acomodação. Esse é um dado estranho, nos acostumamos à deriva porque, paradoxalmente, enquanto forma da incerteza total, ela nos traz algo de certo: não é preciso ir a lugar algum, não é preciso sair de nós mesmos.

Mas continuamos nos sentindo perdidos. E, paradoxalmente, apenas porque estamos presos na ilha de nós mesmos. E não desejemos outra coisa. É bem possível que aquela garrafa lançada ao mar não tenha o objetivo de nos comunicar com ninguém. Que ela tenha apenas um fim em si. Que, além de tudo, seja uma garrafa de plástico lançada mais por descuido, ou apenas porque todo mundo faz isso de jogar garrafas ao mar, e que ela já não sirva para que nos encontrem de fato.

Lançamos muitas garrafas em gestos repetitivos e compulsivos. Pode ser mesmo que estejamos de algum modo realizados em nossa irrealização. Que o isolamento, que a prisão na ilha de nós mesmos, seja o lugar onde, de algum modo, queremos ficar. Pode ser por comodismo, esse que, no extremo, nos leva ao conservadorismo. Pode ser que as garrafas ao mar sejam meros instrumentos de manutenção desse estado de coisas e que, por isso mesmo, deem a impressão de que a comunicação lançada a esmo não precise de um conteúdo. Quando a comunicação vale pela comunicação, quando o que era meio vira fim, então é preciso parar para pensar se não estamos usando isso para nos enganar sobre alguma coisa.

Se pensarmos um pouco mais, veremos que no fundo de todos os afetos que transitam entre os ódios e os amores diários, lá no fundo da angústia insuperável, há o desespero. Um desespero em estado absoluto, que não admite nenhuma esperança. É esse desespero que não nos permite viver uma boa experiência com a deriva inevitável e que usa a máscara da falação para não ser visto. Olhar para o desespero seria ainda mais desesperador. A deriva que experimentamos é, por isso, meio estranha, porque há uma ilha sempre disponível. Podemos ficar confortáveis em nós mesmos, onde já estamos. Nisso tudo, foi nosso desejo que foi interrompido pela oferta de um mundo pronto e isso é o que nos desespera. O desespero não é ausência de esperança, mas de desejo.

No fundo é esse chão firme, essa certeza de alguma coisa, que nos atrai na ilha de nós mesmos. O que se prometia com a transcendência é a pura imanência, a cada dia mais rebaixada à mercadoria. O que se promete na religião, ou no consumo — ele mesmo religioso —, na vida das mercadorias e das experiências que se podem comprar é um salto para a felicidade, confundida com os valores da segurança inquestionada e promovida como uma pura função de repetição. A função da repetição é evitar o questionamento. E se evitamos o questionamento, negamos muita coisa. Evitamos a conversa transformadora que é o diálogo. Nesse quadro geral, o isolamento em comunidade é a fórmula do que se vive hoje em termos sociais e políticos.

Em vez de navegar sobre um pedaço de madeira do barco estraçalhado onde um dia atravessávamos o mar, em vez de estar flutuando sem que terra alguma esteja à vista como nas histórias de naufrágio, o que fazemos em nossa deriva administrada e organizada, quando muito, é dar uma volta desconfiada nas margens de nós mesmos. Acontece que nunca estivemos dentro de nós senão por aprisionamento. A aventura de ir além de si, a aventura que seria da ordem do desejo, quando parece possível, não ultrapassa nenhuma distância considerável. A ilha do shopping center ou da igreja neopentecostal, dependendo sempre da classe social e cultural à qual se pertença, oferece segurança às vidas que perderam totalmente o desejo de inventar a si mesmas.

Celulares e computadores se tornaram remos que nos direcionam a lugar nenhum. Roupas de marca são escafandros, e carros da moda, jangadas que nos levam àquele tipo mitológico de ilha dos mortos que aparecem em filmes de fantasia. As coisas que podemos adquirir no reino do poder de compra são âncoras por meio das quais queremos sentir que se atravessa um chão firme, embora estejamos à deriva em alto-mar. Isso tudo sem sair das margens de nós mesmos. O chão firme nos interessa mais do que emociona, embora haja um clima de hiperemoção no ar. A emoção superficial e histérica de hoje esconde uma profunda frieza nas relações todas, elas mesmas mediadas por tudo o que há de tecnológico, maquinal e frio. A única esperança já nos prendeu à ilha há muito tempo. Mesmo que hoje em dia se fale tanto de nomadismo e se o pratique em termos virtuais (e turísticos), há o desespero do mar aberto onde navegar, e todos preferem ancorar na ilha que já se conhece. A aventura virou mercadoria e já não se vai realmente a lugar algum. O que mais atrai na mercadoria, a certeza de que se possui algo, não é mais que uma grande fantasia.

O desespero está no fato de que nenhuma âncora toca o chão e todas nos enganam de que alcançaremos a segurança ou a certeza desejadas. Mas tudo bem, uma ilusão já nos agrada. A metáfora da ilha nos faz saber que, pelo menos, podemos contar com esse pedacinho seguro de chão que significa ficar no mesmo lugar com os desejos controlados, ou "colonizados" pela propaganda que nos leva a consumir. A fantasia do chão firme. Nos completamos como se toda a nossa busca na vida se resolvesse em nós mesmos. É que, na verdade, talvez em nossa época não haja busca realmente. Não nos impressiona pensar que a existência de cada um seja um fim em si mesmo, mas como estamos ilhados, acreditamos que isso vale apenas para nós.

Naquelas palavras um pouco mais complicadas , a "transcendência em forma de imanência" se tornou suficiente. Se usarmos outra metáfora, podemos dizer que seguimos com o pincel na mão. Pendurados sobre o nada. Sem chão algum.

51. O ato digital

Na era digital, tocamos tudo com a ponta dos dedos, o corpo é uma lembrança remota, assim como a existência. Ilhados em nós mesmos, mas esquecidos do corpo onde estamos ilhados, não conhecemos nenhuma vontade de navegar com jangadas improvisadas para explorar as águas ao redor da ilha. Aventura não é o nosso negócio no tempo da segurança a qualquer custo. A aventura digital se torna a única possível. Na frente do computador, nos sentimos seguros. Assim como nos sentimos diante da tela da televisão. A segurança é uma ilusão, mas a ilusão da segurança é o que nos convém. As agências de segurança mundiais sabem onde estamos e, se permanecermos de acordo, ninguém sofrerá muito com a intromissão em sua vida.

Ninguém escapa. Mas quem gostaria realmente de fugir? Vivemos contentes com o que podemos ter: simulações sempre fáceis providenciam tudo o que queremos. Parados, recebemos o que julgamos precisar e não nos perguntamos por nossas ações. Ao mesmo tempo, vivemos sob o elogio abstrato da "prática". O ato digital diário resolve todos os problemas que possamos ter. O ato digital, aquele que nos faz confirmar presença em um evento para o qual nem sempre fomos convidados, e que nem sempre pede presença real, um evento organizado nas redes digitais, é o ato em si de nossa época virtual. O mesmo que nos permite comprar com a rapidez de um "clique" sem que se tenha visto de perto o objeto a ser comprado. O mesmo que nos faz flertar, transar e até amar com sinceridade digital pessoas que nunca vimos. O que chamo aqui de ato digital é a nova forma de ato que substitui qualquer realização. Simulação é o nosso novo modo de ser.

Em nossa própria ilha, bastamo-nos com atos digitais. Estamos cada vez mais sozinhos, porque, ao falar demais, sem ter nada a dizer, estamos sempre falando sozinhos. Do lado de lá há alguém, também perdido em sua ilha própria. Ele grita tentando se fazer ouvir. Não nos preocupamos muito em ouvir porque, além de dar trabalho, esse que grita mais parece um louco. E ouvi-lo promete ser algo muito chato. Ora, tudo o que já sabemos nos soa entediante. Por outro lado, o que não sabemos nos dá medo se estamos voltados também à segurança de nossos pensamentos prontos, como se essa segurança se confundisse com ficar no mesmo lugar. E emitimos mensagens, como se gritássemos ao outro, aquele alguém que tratamos como ninguém, como se ele estivesse ali para nos ouvir. Não o escutamos, mas ele certamente nos escutará, assegura-nos a nossa fantasia. Quer dizer, nossa ilha é também o centro do mundo e tudo ao nosso redor serve para comprar essa fantasia. Fantasio, logo existo. E está tudo bem.

Fico parado diante do computador agindo digitalmente. A inação me convém. Sinto-me uma pessoa do meu tempo agindo assim com a ponta dos dedos. Sem sair do mesmo lugar, ajo sem agir. A inércia é a função protetora da vida. Conservadorismo por inação, eis a nossa grande conquista atual. Ela está escondida sob o ato digital que nos dá profunda impressão de realização. De fato, ele realiza muita coisa, mas muda a qualidade da existência e, em muitos momentos, torna-se uma locupletação perigosa.

52. O outro lado

O mito da segurança tornou-se incontestável em uma sociedade movida pelo medo. O medo é o cerne profundo da conservação e, no extremo, do conservadorismo. Ouvir, que é, em muitos momentos, uma atitude muito mais importante do que falar, está fora de cogitação quando se tem medo. O outro, esse alguém com jeito de ninguém, entra em nossa ilha quando o ouvimos e nos desestabiliza. O outro sempre exige demais: ele ameaça nossas certezas, e também nossas dúvidas, o outro nos põe em xeque cognitivo e afetivo, ou seja, nos ameaça relativamente ao que sabemos e ao que sentimos. Ouvi-lo pode ser insuportável. Mas não apenas porque ele é diferente. É provável que, assim como nós mesmos, ele esteja ilhado e não pare de dizer o mais do mesmo.

Esse outro pode ser um espelho opaco de nós mesmos, tão indesejado quanto somos nós para nós mesmos. Não há garantia de amor-próprio no narcisismo. O narcisismo é empáfia sobre o outro pelo medo de si. Preferimos viver no espelho porque ver de verdade sempre incomoda. Ou viver sem espelho algum, pois o que nele aparece, se não nos agrada, é melhor fingir que não se viu. Por isso, a ilha parece nos proteger. Nos proteger em um cancelamento da vida que é o individualismo. Esse termo que já não usamos mais, mas que ainda faz muito sentido. Na ilha de nós mesmos nos defendemos dos sons que vêm da ilha alheia. Assim parece tudo mais fácil.

O gesto de ouvir aqueles sons exige esforço. Ora, todo gesto inteligente é, em primeiro lugar, o de um esforço. Esse gesto é como andar de bicicleta. Tem uma hora em que a coisa acontece, mas só se, além de muito esforço, também a desejarmos tanto, mas tanto, a ponto de insistir até conseguir. Então, o problema não é apenas o esforço, mas o desejo. Não é apenas a vontade, mas uma inclinação profunda cujas fontes não seriam fáceis de conhecer. Porque isso o que chamamos de desejo parece não pertencer à linguagem. Mas pertence, e a constitui. Pode parecer que existe antes de nós mesmos e, contudo, está em nossa misteriosa gênese. O desejo de escutar o outro estaria em nós, mas ele também desaparece de nossas vidas com tanta facilidade que sobra um rastro de mistério explicável apenas pelo medo do outro, esse alguém que só conseguimos ver como se fosse ninguém.

53. Falação mecânica

Levando tudo isso em conta, não é absurdo pensar que estamos falando sozinhos. Ao mesmo tempo, é claro que conversamos uns com os outros. Mas aquela angústia sobre nossos atos de linguagem sinaliza para a falta de alguma coisa. É que as próprias conversas são marcadas por algo de inconversável. O não dito está em todo lugar e usamos a falação para acobertá-lo. Ele é aterrador. E já que falamos da metáfora da navegação, e pensamos tendo em vista essas ilhas vizinhas, mas sempre "isoladas", o silêncio seria como um daqueles míticos monstros marítimos temidos por todos, que uns poucos se aventurariam a procurar e, se o encontrassem, seriam devorados por ele.

Nos falta o silêncio que permitiria a abertura ao outro. Entre uma ilha e outra onde deveria haver pontes, há todo tipo de escombros. Restos, ruínas de pontes: rádios, televisões, telefones, carros, filmes, propaganda. Conteúdos e formas flutuando no mar da vida. Objetos preenchendo o espaço entre nós. Objetos que são coisas barulhentas. E nos acostumamos ao barulho porque ele é o nosso modo de viver atual nos tempos da falação sem sentido.

Em uma cultura do barulho, a parte do silêncio, se de um lado é apavorante, de outro parece simplesmente desnecessária. A falação tem o ritmo das máquinas, das tecnologias que funcionam mecanicamente. É como se tivéssemos introjetado um jeito de ser artificial. O cenário de ilhas está marcado por uma paisagem não apenas visual, mas sonora em que ninguém é capaz de falar muita coisa com sentido. Ou que não é possível escutar o que o outro nos quer dizer, porque estamos despreparados para o sentido alheio. Gritamos desesperados para alguém do outro lado, alguém que não pode nos escutar e quando dizemos algo que poderia permitir uma real comunicação — aquela que nos liberasse do insulamento —, não encontramos ouvintes.

Mas não gostamos desse grito de silêncio e seguimos na falação repetitiva e desembestada que nos ilude de que estejamos em profunda comunicação.

Assim, no ritmo da falação, da tagarelice mecânica, parece que conversamos, mas não dialogamos verdadeiramente. Falamos, mas não vamos fundo em nenhuma de nossas conversas. As conversas ficam chatas e superficiais porque evitamos o não-dito e o silêncio que poderia nos abrir para a escuta real. Mas não há espaço de silêncio entre nossas ilhas. Não há mais o mar. Há lixo sonoro ocultando a água, como coisas que flutuam colando-se às margens da ilha. Há barulho demais, coisas e falas jogadas entre nós, e o diálogo se torna impossível.

Como não conseguimos falar com o outro, falamos apenas para nós mesmos, aumentando a tagarelice e a produção de lixo linguístico. Falamos para nossos pares. Conversamos o mais do mesmo com quem pensa como nós. Isso acontece quando não somos contrariados, quando confirmamos o que já sabíamos. Saímos felizes de uma conversa em que somos contemplados narcisisticamente porque o outro, com seu espelho opaco, nunca nos apareceu.

Conversar com quem não pensa como eu, eis o desafio do diálogo. Sair da minha ilha ou deixar que o outro venha me visitar. Ser generoso e hospitaleiro com essa visita. Contudo, não será fácil, porque há muitos escombros, lixo e ruído entre nós. Isso torna o desafio bem complexo. Em termos menos metafóricos, mas ainda muito metafóricos, o desafio é conversar com quem está com medo de conversar. Com quem está na defensiva. Com quem pensa que já entendeu tudo. Isso é mais do que complicado.

E há ainda um momento mais complicado. Trata-se de poder conversar com quem não está de modo algum disposto a entender, com quem tem teorias prontas demais e uma visão de mundo fechada demais. Com quem não está disposto a entender porque, em sua estrutura psíquica, em seu modo de ser, em seu modo de ver o outro, não pode entender. Trata-se de buscar o diálogo no cenário dessa impotência. Da indisponibilidade da compreensão no meio de tanto lixo linguístico e tecnológico.

A impotência para entender significa falta de abertura para o outro. Essa falta de abertura que no dia a dia é a simples impotência para o diálogo se transmuta facilmente em negação do outro, ódio ao outro, discursos e práticas de humilhação, violência simbólica e física e, no extremo, vai ao extermínio do outro.

Teríamos que, contra isso, encontrar o mistério do outro. Ele seria expresso como disponibilidade ética. Infelizmente, ela falta a muitas pessoas. Mas a pergunta que nos colocamos é se poderia ser criada quando parece que já não somos capazes de mudar.

54. Mito e ressentimento brasileiros

O poder do mito é o da explicação relativa ao desconhecido. O mito pode ser a narrativa tradicional de um povo — seja esse povo nativo da Índia, da Grécia, ou das Américas — a traduzir sua verdade ancestral, mas também pode ser a fabricação da "verdade", da "essência" e da "natureza", de modo a sustentar interesses ideológicos. Há, portanto, uma diferença entre o mito como narrativa da origem e o mito como construção social ilusória. Neste último caso, o mito mostra alguma coisa para esconder outra. É neste sentido que vou usá-lo aqui para falar do "mito nacional" do Brasil.

Como a imagem de um país — que é construída —, é questão que envolve aspectos internos e externos a este país. Podemos dizer, através dessa imagem, que a Itália é isso, a Irlanda é aquilo, o Japão é isso, ou que a Angola é assim ou assado. Raramente paramos para pensar que há algum interesse por trás das definições: o interesse em "enquadrar", em transformar o desconhecido em algo conhecido por identificação. Não é exagero pensar que por trás do ato de definir está a tentativa de dominar o que é estranho e assim, transformando-o em algo familiar, eliminar ou controlar sua estranheza. Se lembrarmos do gesto de Colombo — esse sujeito que não aprendeu a língua dos povos com quem se encontrou — chegando às Américas e definindo as pessoas que encontrou como "índios", porque acreditava ter chegado às Índias, temos um bom exemplo do perigo de "identificar" e, na sequência, de definir o estranho que é sempre um "outro" — como se este outro coubesse dentro de uma categoria conhecida e própria. Continuamos olhando com os olhos de Colombo, quando identificamos o desconhecido com o conhecido, o complexo com o simples, o outro com o mesmo.

Diante destas explicações por identificação, que configuram o mito do brasileiro, somos obrigados a nos perguntar: "o que é ser brasileiro?" levando em conta que esta pergunta é altamente problemática, considerando que vivemos na era da singularidade. Precisamos nos perguntar se há sentido em definir um "brasileiro" em particular, ou o "povo brasileiro" em geral. Além disso, não seria o que chamamos de povo brasileiro aquele que, sendo efeito de um entrelaçamento de processos históricos, sociais e políticos diversos, um dos povos mais difíceis de definir no mundo atual? O povo brasileiro é tão heterogêneo, culturalmente falando, que não se curva à identificação.

Além disso, tentar definir os brasileiros como uma unidade — a "brasilidade" — não seria continuar incorrendo no ato de reproduzir o seu "mito", como explicação forçada em relação ao que não se encaixa na explicação?

Juridicamente é brasileiro aquele que nasceu no Brasil ou naturalizou-se por viver aqui, incorporando seus aspectos culturais. O que seja a cultura brasileira é algo complicado, porque o Brasil não é um país uniforme no sentido de suas expressões, artísticas, urbanas, rurais, musicais, nem mesmo de seu clima e geografia variadíssimos, nem mesmo dos hábitos cotidianos de suas populações. Se procurarmos o Brasil "natural", encontraremos o Brasil "cultural", e se encontrarmos o Brasil "cultural", ele também não é nada simples. É verdade que nossa história política — que envolve a colonização, a escravidão e uma grande ditadura da qual nos livramos há menos de 30 anos, além de uma democracia em estado embrionário — nos garante um ressentimento comum. A língua portuguesa — imposta a vários grupos de imigrantes há menos de cem anos no período da ditadura Vargas — nos une da mesma maneira ressentida em um país que produz analfabetos por descaso e abandono estatal. A língua da colonização que somos convidados a amar não contempla as línguas dos imigrantes, ou dos povos nativos, ou dos povos africanos que aqui chegaram não como imigrantes, mas na posição de escravizados.

Hoje em dia outro fator menos sublime parece dar certa homogeneidade ao Brasil atual. Trata-se da Indústria Cultural, sob a qual a cultura brasileira, popular ou não, é assassinada. A Indústria Cultural encontrou nessas terras o seu solo fértil, e falar nisso é quase proibido.

55. O Brasil dos outros

Um brasileiro que viajar a outro país não se surpreenderá caso os habitantes do país visitado vejam no Brasil somente a imagem do carnaval, do samba e de belas mulheres sempre disponíveis para algum tipo de sexo fácil. O senso comum estrangeiro não surpreende mais ninguém. A imagem que se faz do Brasil fora do Brasil inclui a Amazônia, o Rio de Janeiro e o samba. Ora o Brasil é associado à selva e seus perigos, ora ao paraíso por seu litoral e demais riquezas naturais e turísticas. A imagem do Brasil fora do Brasil é a do futebol, do povo hospitaleiro e pacífico, da gente simples, da malandragem, e, necessariamente, da pobreza autocontente. Um país onde colonos e escravos não entram em guerra. Um país onde as pessoas são felizes, segundo um estranho ideal de felicidade. Neste país, acredita-se que as pessoas estão "numa boa", não reclamam porque, em que pese uma política corrupta e péssimas condições sociais sempre aproveitadas por certa indústria cultural da violência, as pessoas não teriam temperamento para reivindicar mudanças ou para, com as próprias mãos, agirem em uma direção diferente.

56. Brasil recalcado

No imaginário de não brasileiros e de brasileiros, o Brasil é transformado há muito naquilo que ele não é. O Brasil recalcado não é lembrado em qualquer imagem que se constrói sobre o Brasil. Quem vê o país da floresta esquece o da seca e do crescente desmatamento que transforma a floresta em deserto. Quem vê as praias esquece as vastas terras tomadas pela colonização entre os estados. Não vê o país que há muito apagou da cena a imagem de seus indígenas dizimados e cujos remanescentes ainda hoje são assassinados em conflitos com proprietários de grandes latifúndios em nome do agronegócio. O país que esconde também o assassinato de mulheres, de homossexuais, travestis e pobres, que esconde o tráfico e o narcotráfico, que esconde políticos corruptos financiados por empresas inidôneas. Um país que oculta a ignorância geral fomentada a cada dia pela ausência de um projeto de educação real para o povo.

O Brasil nada carnavalesco e muito violento é ocultado, mas vem à tona quando se trata de usar o medo como fomento da segurança a ser vendida. Os brasileiros que vivem no Brasil aceitam em grande medida a visão do outro sobre ele mesmo, seja o estrangeiro, seja o intelectual culto, sejam os meios de comunicação que alimentam o imaginário social. E como as condições — educacionais e culturais — para colocar em cena outras visões do Brasil não estão dadas, mesmo que por inércia, todos ajudam a alimentar a visão de um Brasil estereotipado. Para mudar essa visão seria necessário analisar o recalcado na própria cultura, o que implicaria rever o cenário simbólico, mas também a impressionante desigualdade social de nosso país acobertada por um aspecto fundamental do mito brasileiro que é o seu desenvolvimento rápido nos últimos anos.

57. Terra de ninguém simbólica

O Brasil é lugar que aceita todo tipo de explicação. Feito "terra de ninguém" em termos concretos — mesmo que aqui vivessem povos nativos cujos descendentes, embora poucos, ainda vivem —, tornou-se terra de ninguém em nível simbólico. Qualquer um fala o que quer do Brasil. E o que todo mundo diz, salvo alguma exceção crítica, corresponde ao mito como conjunto de estereótipos. Ora, um Brasil estereotipado é bem mais fácil de vender do que um Brasil complexo.

Se a sociedade do espetáculo vive da produção de estereótipos, o Brasil é uma mercadoria relativamente fácil. Basta mitificá-lo para acobertar suas contradições que ele vende muito bem. No conjunto dos estereótipos, pesa o estereótipo do Brasil "natural". A indústria cultural do turismo aliou-se ao mito do país do sexo como algo também natural. A ideia de um país da prostituição não deve aparecer mesmo quando sabemos que muitos estrangeiros vem ao Brasil para exercer o turismo sexual, o que é combatido internamente por certas pessoas e instituições. A prostituição infantil que serve a estrangeiros é ocultada porque prejudica a própria imagem vendável do Brasil. O acordo hipócrita está sempre previamente assinado pelo silêncio que garante o andamento de tudo como está na manutenção do mito nacional geral.

Podemos hoje dizer que aspectos inusitados em nossa cultura vem à tona perturbando compreensões prévias tais como a ideia do brasileiro "cordial" que desde 1936 com o livro *Raízes do Brasil*, de Sérgio Buarque de Holanda, teve alto impacto tanto na interpretação científica quanto no senso comum em geral. Esse clichê, tomado como verdade, não foi questionado por ninguém. Senão pelo sociólogo Jessé Souza que em seu livro, *A ralé brasileira — quem é e como vive*, aborda criticamente a construção do mito da brasilidade por parte de sociólogos canônicos nos estudos brasileiros — Sérgio Buarque de Holanda, Darcy Ribeiro, Roberto DaMatta, entre outros. Criticando as teses de todos eles, Jessé Souza propõe que se analisem os brasileiros não mais em termos de interpretações acerca do caráter dos povos colonizadores ou do patrimonialismo elitista, mas que se verifique como na sociedade brasileira as relações de produção capitalista produziram todo tipo de desigualdade no nível aterrador que conhecemos hoje. O livro de Jessé Souza fala de uma imensa maioria de brasileiros, mais de um terço da população, que vivem marginalizados, nas favelas, destituídos de qualquer capital, seja ele o mais básico capital educacional ou social que garantiria a chance de pessoas conseguirem os empregos mais elementares para prover necessidades básicas como alimentação e moradia.

Certas classes sociais baixas e até médias têm uma alta carga horária de trabalho e de estudo. No Brasil há uma imensa população de trabalhadores que estuda em universidades precárias esperando que, por esforços desmedidos, possam superar suas condições sociais e econômicas em meio a toda sorte de adversidades. As manifestações dos últimos tempos mostram que a cordialidade, a acomodação, o desinteresse político já não retratam a vida das pessoas que vivem no Brasil, se é que um dia expuseram alguma verdade.

58. O Brasil para brasileiros

Talvez seja muito irônico dizer que os brasileiros não veem a si mesmos, pois veem muita televisão e com ela confundem a realidade. Mas é fato que, em junho de 2013, a população brasileira saiu às ruas em nome de uma causa aparentemente muito simples: protestar contra o aumento de 20 centavos nas passagens de ônibus. O susto de muitos com a novidade brasileira — o "despertar do gigante", como alguns denominaram — ocorreu devido ao surgimento de uma alteridade que não cabe no parâmetro da identidade sempre afeita a "essências" e "naturezas".

É certo que a partir disso uma mudança de autocompreensão coletiva está em cena no Brasil atual. A impressão generalizada, do senso comum à investigação em ciências humanas, era de que as pessoas estavam felizes com o governo e com o estado social. Verdade que os brasileiros despertaram para a questão política que estava esquecida ou até mesmo recalcada, mas isso não deve ser traduzido apenas em nível de "consciência revolucionária" adquirida. No Brasil atual não devemos acobertar o fato de um crescimento de tendências fascistas, de ódio ao outro, a negros, índios, homossexuais. Esse ódio não é novidade, mas que ele esteja em alta é algo que só se poderá enfrentar com a lucidez com que se preocupa em desmanchar os mitos.

59. O Brasil contemporâneo

A expressão "Brasil Contemporâneo" parece referir-se a um objeto muito próximo. Como alguém que pensa saber de si por experimentar-se em seu próprio corpo, por ocupar um ponto de vista, pensamos saber algo sobre o Brasil. Por vivermos no Brasil, podemos pensar que ocupamos um ponto de vista brasileiro. Ocupando um ponto de vista brasileiro, supomos saber tudo sobre este país que seria o nosso país, o país que temos como realidade, sobre o qual não ponderamos, possa haver, em nossas mentes, alguma fantasia. Apenas porque estamos vivendo dentro desse país, em seu território físico, pensamos que sabemos o que é o Brasil. Estou tentando dizer com isso que o Brasil é natural para os brasileiros, como o Japão talvez o seja para o japonês, como a floresta amazônica é natural para o sujeito nativo que nasceu em meio às árvores, ou para o sujeito que, na Capadócia, cria--se entre as paredes tortas das cavernas. E, porque pensamos assim, nessa longínqua abstração que é o território, com o qual nos relacionamos pelo cálculo e pela ideia — e certamente sempre tomados por algo que podemos chamar de mania de objetividade —, que podemos dizer que o Brasil é, em primeiro lugar, um impensado.

A expressão Brasil contemporâneo nos transmite, portanto, em primeiro lugar, não a questão do tempo, mas a sensação de proximidade no espaço, pois o Brasil é primeiramente experimentado como um espaço, como o local onde estamos inseridos naquilo que conhecemos pelos mapas. Mas esta é apenas uma crença, uma fantasia situacional. Fazendo filosofia e tendo o Brasil como tema ao qual lançar a atenção com o maior cuidado possível, comecei a pensar em um experimento. Um experimento filosófico parte necessariamente de um posicionamento narrativo em que o sujeito do pensamento precisa expor o lugar de onde fala. O que proponho é uma inversão em relação à crença no Brasil como espaço, como lugar, ou como chão. Neste experimento o Brasil, como diria Vilém Flusser — que foi um brasileiro *naturalizado,* o que implica o paradoxo de ser um brasileiro artificial —, é aquele lugar aonde se chega enquanto não se tem um chão. Enquanto se é *bodenloss,* aquele que vive na ausência de chão. Ora, a ausência de chão promove a conhecida e desagradável sensação da vertigem. Sejamos sujeitos dessa vertigem por um tempo. Tomemos o Brasil como vertigem, nessa experiência de pensamento em que é importante suspender nossos modos de pensar.

Pensemos do ponto de vista da vertigem. Os pés não estão no chão. Algo está acontecendo, mas não é totalmente catalogável. A vertigem nos confronta com a situação não concreta, com a ideia abstrata que nos ilude de que estejamos em algum lugar e de que esse lugar seja familiar. Pensamos estar em algum lugar e aprendemos desde cedo que, no nosso caso, se trata de um lugar chamado Brasil. Um lugar como qualquer outro, um lugar que é familiar como qualquer outro lugar parece familiar para quem o habita.

O que interessa nisso é que o que parece a ideia mais básica da realidade, a de que somos brasileiros, não significa para as pessoas uma questão sobre a qual seja necessário pensar. Para que pensar quando este simples ato não deverá resolver nenhum daqueles nossos problemas que, por hábito e falta de uma reflexão maior, chamamos de práticos? Assim, na separação abstrata entre teoria e prática, muitos de nós continuamos crentes em ideias prontas a repetir que as coisas são como são e o mundo não poderia ser diferente. Queremos uma resposta sem nem mesmo elaborar uma questão. A vertigem que nos tira do ponto de vista habitual e seguro é a nossa colocação diante do abismo. Não há imagem mais perfeita do que esta para o que significa se perguntar. Ora, de um ponto de vista seguro sempre cometemos muitos erros, e o maior deles é pensar que teoria e prática estão separadas. E negamos até o fim que essa ideia um tanto prática — a da separação — não seja importante na configuração do que chamamos de realidade.

Se nos definimos como brasileiros, isso se refere à experiência do território que nos parece a mais física possível. O tempo, que é a questão à qual o tema do contemporâneo que associamos ao Brasil nos remete, passa distante, mas tão distante que não se pode lembrar que ele também está em jogo, e definindo o jogo.

De que Brasil falamos? E de que contemporâneo falamos? Vivemos em um nível de pensamento muito elementar, até mesmo primitivo em relação à sociedade. Mas a palavra sociedade costuma sumir dos discursos. Confundimos sociedade com mercado com a maior facilidade. No discurso de certos políticos e intelectuais, ou pseudointelectuais e do senso comum, o mercado é tudo. Misturamos níveis estéticos e ideológicos de compreensão da coisa que chamamos de realidade e nos perdemos nela. A própria questão da realidade, do comum e partilhado, está em baixa em uma sociedade como a nossa, em que o vazio de pensamento encurta o espaço — enquanto aumenta a distância — entre as pessoas e os objetos fundamentais da vida em comum que nos deveriam chamar a atenção. A propósito, o que filósofos chamaram historicamente de senso comum tornou-se uma espécie de campo de concentração de onde não se pode fugir e parecemos nos contentar com o pão mofado que o sistema do mundo serve de refeição a quem nele crê por simplesmente nunca ter se perguntado se poderia ser diferente.

Uma educação precária e meios de comunicação manipuladores orientam mentalidades que se tornam plásticas conforme as tendências dominantes. Desespero, esgotamento, insensibilidade, crueldade são estados afetivos que surgem no cenário de um país — o conjunto sociedade e Estado, vida pública e privada — que constantemente se faz infeliz porque não conhece seus próprios caminhos, porque uma das regras obscuras do jogo social é ser convidado diariamente a abandonar as próprias potencialidades em nome da repetição do mesmo.

Acreditamos em nossa experiência de classe, raça, gênero, idade, sexualidade, sem nos darmos conta de que toda experiência é limitada no tempo e no espaço. Neste contexto, pensar é raro. Não há tempo e não há espaço. Transitamos nas ruas entre a acomodação e o desespero, iludidos de que caminhando em frente chegaremos a algum lugar. Vivemos a nossa experiência sem nos darmos conta de que ela nada tem de natural. Mas naturalizamos. Por que assim foi aprendido e assim nos tornamos vítimas de ideias prontas. Carregando a bandeira invisível de uma ideologia espontânea que não nos traz nenhum conhecimento. Só nos torna mais conformados e impotentes.

As certezas que temos são feitas de pré-conceitos e superstições. Esta é a postura habitual de muitas pessoas hoje em dia, no contexto em que a carência de reflexão acompanha outras carências existenciais: nos faria bem entender de política, de ética, de educação, de sociedade. Estamos despreparados. Nossa experiência estaria menos pobre se tivéssemos, pelo menos, sido educados para a lucidez. Buscar entender a postura de quem se afasta da ideia pronta, de quem quer descobrir, de quem se dispõe à novidade, à diferença, à alteridade, não tem muito valor no dia a dia e nas instâncias decisórias, seja em termos de economia e de política. Economia e política separam-se como corpo e alma. E sabemos que esta separação é puramente ficcional. A disposição a ouvir, a analisar fatos e ideias, projetos e intenções está morta junto com o discernimento que nos levaria a perceber nexos entre as coisas e relações de força sob as quais existimos. Evitar preconceber e abster-se de não falar sobre o que não se conhece seria o desafio social, ético e político de nossa época.

Se perguntarmos a nós mesmos, que somos brasileiros, o que sabemos sobre o Brasil, certamente teremos problemas em nos expressar. Usaremos os livros que ajudaram a construir o pensamento e o imaginário brasileiro sobre o próprio Brasil: *Casa grande & senzala*, de Gilberto Freyre, publicado em 1933, ou *Raízes do Brasil*, com o seu homem cordial, ou *O povo brasileiro*, de Darcy Ribeiro, de 1995, e seu Brasil caboclo, sulino, caipira. Estes são exemplos de obras que fazem parte de um esforço de alguns intelectuais em situar a questão da formação da sociedade brasileira de um ponto de vista que, por mais que tenha tido sua poesia e sua luz, já não nos diz respeito. Muito já se escreveu sobre o Brasil. Esse Brasil dos intelectuais e sua poesia. Há um Brasil que só cabe nas bibliotecas. Assim como há um Brasil que passa na televisão. Um Brasil da classe média. Assim como há um Brasil que nunca iremos conhecer, esse Brasil de quem não contou sua história porque foi vencido e não vencedor. Esse Brasil que escapa a quem pretende abarcá-lo porque não é catalogável não é texto, é outra coisa, é uma pergunta escancarada e, eu direi sem medo de exagerar, tantas vezes, insuportável.

O Brasil é, nesta medida, uma experiência de afeto, o afeto marcado pela perplexidade, e que se faz perguntas. E que nos pede para ser compreendido. Nossa dificuldade com o Brasil talvez seja justamente o fato

156

de que o Brasil não seja uma questão, uma pergunta e uma dúvida, uma interrogação que se diga brasileira, mas que se apresente aos brasileiros sempre como uma resposta.

Assim, na contramão, aproximamo-nos do Brasil por meio de uma questão, a questão que ele mesmo é. Talvez que, do Brasil, só possamos reter esta questão.

A questão Brasil se coloca a nós hoje e, só por isso, é uma questão contemporânea. O que é o contemporâneo? Como disse o filósofo Giorgio Agamben, citando Roland Barthes, o contemporâneo é o intempestivo. O intempestivo é o fora do tempo. Que se expressa enquanto não coincide com o seu tempo, quando não está adequado às pretensões do seu tempo. Inatual, deslocado, anacrônico, é assim que alguém se sente quando experimenta o seu tempo. Por meio dessa experiência de anacronismo é que o contemporâneo consegue aprender o seu tempo.

Contemporâneo não é apenas o tempo, vejamos bem. O contemporâneo somos nós dentro do tempo. Aquele que, sob estas condições, não pode fugir ao seu tempo. Ele "pertence ao seu tempo irrevogavelmente", como diz Agamben. Contemporâneo é aquele que consegue manter fixo o olhar sobre o tempo justamente porque vive na distância com ele. E, continua Agamben, contemporâneo é o poeta. Aquele que mantém fixo o olhar no seu tempo para observar não as suas luzes, mas o seu escuro. A contemporaneidade de um tempo é a sua obscuridade. Agamben conta a história das células do olho que produzem o escuro quando fechamos os olhos. O escuro da contemporaneidade é o que o contemporâneo, meio poeta, busca ver. O escuro o procura, lhe concerne. O escuro é o que permite entender a luz e sua fragilidade. O escuro do presente que joga luz sobre o passado esperando que as "trevas do agora" se façam menos sombrias. Aquela fragilidade que não deixa que a luz, em meio a todo o escuro, mesmo dirigindo-se diretamente para nós, venha a nos alcançar.

60. Alteridade, redes sociais e a questão indígena no Brasil

O paradigma eurocêntrico caracterizado pelo precário princípio da identidade quanto à visão sobre o "outro" faz parte da história das Américas e do Brasil. Representado nos textos de Colombo, Cortez e outros "conquistadores" — analisados por um autor como Todorov (2002), por exemplo, bem como pelos padres catequizadores e até mesmo por antropólogos —, continua na base de certos discursos negativos do outro pronunciados até os dias de hoje a respeito dos povos ameríndios.

Tais discursos representativos de um ponto de vista social geral, que vão da mistificação sobre uma suposta "real necessidade dos índios" — em que autores criticam os que defendem os "índios" com uma retórica contraditória afirmando, como se ninguém fosse capaz de perceber, o que eles mesmos querem para os "índios" — até sua desqualificação histérica, tanto fomentam o silêncio dos povos ameríndios sobre eles mesmos quanto impedem uma conexão eticamente melhorada dos "não-índios" com os outros denominados "índios".

Podemos dizer que tais discursos são anticomunicativos, que promovem uma espécie de contraditória "comunicação violenta" que destrói laços políticos entre sujeitos participantes da sociedade em que a relação "mesmo" e "outro" deve ser pensada, no mínimo, como dialética. Tais discursos são, neste sentido, exemplares da antiética com que se acoberta o problema social geral dos povos nativos do Brasil.

No processo de acobertamento a que dão lugar, tais discursos em que a questão da "subalternidade" (SPIVAK, 2010) está sempre construída pelo nexo cínico entre conhecimento e poder, mantêm em sua base o fundamento antiético de um histórico genocídio contra os povos ameríndios. Somente este genocídio sustentará a manutenção da tomada de terras dos povos nativos. Esta invasão europeia na vida ameríndia continua hoje. Ela precisa, para sustentar-se até hoje, do apoio público e político que a faça valer como verdade, socialmente vigente e inquestionada, garantindo assim o seu sucesso. O modo como os povos ameríndios são tratados nesta questão da tomada das terras, um modo fascista que inclui governo e sociedade civil, no entanto, entra em choque com o desejo democrático de grande parte da população dos dias de hoje.

O papel de vários jornalistas enquanto agentes de discurso tem sido a própria continuação do "método" de Colombo. Se antes o discurso cristão do colonizador sustentava a tutela sobre os índios, hoje, além do discurso cristão, há o do pseudocidadão progressista — o capitalista como sacerdote da mesma religião capitalista — que advoga as necessidades do crescimento econômico brasileiro contra a vida, e a forma de vida, dos povos nativos. Trata-se do discurso daquele que introjetou a colonização de que foi objeto. É o discurso colonizado que se reproduz como discurso colonizante.

O discurso da aliança colonizador-colonizado não apenas nega um lugar para o "outro" ao projetar sobre ele uma verdade que não lhe diz respeito, mas, do mesmo modo, só alcança este efeito se, antes, substancializar este outro como "negativo". A negatividade é, segundo a lógica do princípio de identidade, o que na ordem da cultura surge como algo indesejável.

O que quero afirmar é que há consequências éticas e políticas que surgem no processo de tornar "negativo" pela palavra, pelo texto. O discurso sustenta em seu fundo falso, em última instância, o fundamento do genocídio ameríndio desde que se constitui como a base violenta a partir da qual a própria violência é ocultada. Podemos denominar este processo de violência hermenêutica. Refiro-me à morte do outro que só pode acontecer sob seu ocultamento, nunca às claras, nunca numa pena de morte direta e legalmente autorizada, mas muito antes numa destituição do outro a partir de sua afirmação como algo negativo. O genocídio, em princípio algo apavorante, tornou-se uma verdadeira prática cultural, acobertada nos discursos anti-indígenas de um modo geral, com o aval dos meios de comunicação em acordo com o senso comum e a negligência da sociedade como um todo em relação à questão indígena.

O genocídio é, pois, o nome próprio da ideologia que rege a relação dos "brasileiros" com a questão indígena contra a qual alguns poucos assumem o desafio de agir contra o silêncio. Não é errado dizer que vivemos na "era do genocídio". Podemos até dizer que, como nação brasileira, nascemos de genocídios enquanto o assassinato dos outros faz parte de nossa história coletiva. "Massacrifício" foi um termo usado por Todorov, que reuniu sacrifício e massacre para explicar o que acontece em uma sociedade na qual a matança está culturalmente justificada no cotidiano e, ao mesmo tempo, ocultada e negada. Abrir a constituição dessa matança, mostrar a verdade destrutiva que constitui o assassinato coletivo de autoria (nem tão) oculta, eis o que se torna urgente diante do quadro social vivido.

Neste contexto, em que pese o fato de tais discursos constituírem-se em artigos de jornal e portais ou textos de blogs, muitos deles consideravelmente desqualificados do ponto de vista intelectual e ético, carregados de má-fé, eles importam para as intenções iniciais desse ensaio enquanto se pretende avaliar um quadro geral do estatuto do senso comum e de sua constituição pelos "formadores de opinião" que, ao mesmo tempo, surgem como expressão violenta do senso comum ao qual se dirigem. Penso aqui na relação de retroalimentação entre jornalista e público, tal como a expôs Gabriel Tarde. Estamos no redemoinho do círculo vicioso do ódio entre real e discurso que é preciso avaliar na intenção de forjar uma sociedade mais justa para a qual a teoria — como essencial prática de reflexão — pode contribuir.

Através da tentativa de compreensão geral quanto ao estatuto do discurso sobre os "índios", é possível elaborar uma crítica ao princípio de identidade, esse procedimento do pensamento europeu tradicional que é devorador de toda realidade que nele não se encaixa senão por esforços epistemológicos falsos. O princípio da identidade é destrutivo do "não-idêntico", como Adorno denominou aquele elemento que é colocado pelo "mesmo", sempre autoconsiderado "sujeito", em oposição a um objeto que a ele se submeteria. A intenção de fundo aqui é também mostrar a insuficiência do paradigma eurocêntrico da identidade no contexto de uma sociedade democrática, o que implica esforços que possam apontar para sua superação.

Buscando compreender o conceito de "outro", autores de linhagens teóricas diversas foram aqui reunidos em uma perspectiva interdisciplinar. Alguns exemplos principais, ajudam a entender as inspirações que estão na base das questões aqui pesquisadas. De Todorov, teórico da literatura, tomo a crítica à questão do "outro a ser conquistado" e sua atualíssima interpretação do ponto de vista dos conquistadores. De Theodor Adorno, filósofo da dialética negativa, tomo o problema do "não-idêntico", por não ter encontrado categoria melhor capaz de situar o problema do sujeito e do objeto, do mesmo e do outro para além da ideia autocontraditória de uma identidade da "diferença". De Eduardo Viveiros de Castro, antropólogo brasileiro, aproveito o conceito de "perspectivismo", que nos leva além do princípio de identidade com que a tradição do conhecimento tem se forjado até os dias de hoje. A intenção não é, de modo algum, estabelecer um diálogo entre tais autores e outros que venham a figurar no texto. Tampouco se pretende buscar algum sentido histórico-exegético em suas obras encaixando o problema indígena em suas interpretações. A intenção única é investir no entendimento do conceito de "outro", compreender sua validade e sua precariedade possível. O método é, aqui, a sinalização inicial para o questionamento de hábitos epistemológicos que se configuram em planos éticos conduzindo a vida de todos os que se envolvem em expressar ideias.

61. A internet e a questão indígena como retorno do recalcado

Podemos nos colocar a questão do "conhecimento" do outro enquanto ele é marcado como "indígena" e avançar na produção de um "reconhecimento" autocrítico que una o teórico ao prático, o pensamento à ação, o conhecimento ao político, pondo em cena o fato de que o outro é, como categoria de interpretação e intervenção na realidade, sempre a contraparte dialética do mesmo, mas enquanto ele é inventado por esse mesmo: o outro só é "outro" para quem, sendo outro "para mim", é, "para ele mesmo", o "mesmo". O que no campo filosófico veio a ser chamado de "reconhecimento", desde uma longa tradição que começa em Hegel, seria a relação não mais entre sujeito e objeto, na qual o primeiro manipula o segundo, mas a relação entre sujeitos que disputam lugar até perceberem sua mútua alteridade.

Está em jogo, portanto, questionar o próprio conceito de reconhecimento enquanto categoria limitada pela perspectiva eurocêntrica baseada no princípio de identidade. O papel das redes sociais, na questão da causa Guarani-Kaiowá, vem mostrar que uma mudança de paradigma se anuncia, que outro desejo e outra lógica na relação com o "outro" estão em cena na ordem social, pondo em jogo a questão da relação "mesmo--outro". Para além do "reconhecimento", surge uma espécie de processo de assemelhação. Uma busca por mimetizar-se politicamente. Não é o outro que é reconhecido, mas eu mesmo como mesmo torno-me o outro num processo que envolve certa "transfiguração". Na base está o desejo, cujo estatuto cabe avaliar, em relação ao "outro" recém-surgido em escala social para uma melhor interpretação da ordem e dos destinos construídos coletivamente.

Devemos ter em conta, portanto, a circunstância de um fato histórico novo. Podemos falar de "advento", a chegada que é, ao mesmo tempo, promessa de epifania. Tal fato histórico é também fato linguístico. Ele diz respeito ao crescimento da palavra dos povos nativos do Brasil no âmbito da internet, por meio de portais, blogs e redes sociais. A expansão da expressão, como qualquer expressão da alteridade, é experimentada como algo inesperado por parte daqueles que são os donos do poder, posicionados por eles mesmos no lugar de um "mesmo", aqueles que se manifestam impondo sua interpretação da verdade sobre os ameríndios e a chamada "questão indígena". Ora, a expressão própria dos envolvidos tal como vem mostrar-se na internet tem um poder totalmente diferente daquele proporcionado pelos órgãos representativos dos povos indígenas "autoautorizados" a falarem em seu nome. A expressão própria dos povos ameríndios e seus descendentes põe em jogo um elemento castrador ao discurso autoritário, por assim dizer, do sujeito eurocêntrico que emite o discurso enquanto se furta ao diálogo. Este elemento é a própria autocompreensão surpreendente — porque insuspeita do ponto de vista daqueles que se posicionam como o "mesmo" — que estes povos vêm manifestar acerca de si mesmos. Deste modo, põem em crise toda a ideologia que — desde Colombo, digamos assim — jamais esperou por sua expressão e autocompreensão. A autocomprensão exposta é o limite, a irrupção de um saber que se faz "contrapoder" no âmbito de uma democracia realizável — e assustadora para muitos quando ela é radical —, que desagrada os que detêm o poder antidemocrático. E que, necessariamente, impedem e freiam a expressão diversa para se autoconservarem no poder.

É como se, de repente, por meio da palavra tomada no campo da expressão possível que é a internet, as pessoas que foram chamadas de índios "aparecessem" em um Brasil que não seria "seu", sendo bem recebidos por uns e mal recebidos por outros. Pois que, no discurso do "mesmo", o lugar do "índio" como um "outro" já está previamente definido.

Está em jogo o "reaparecimento" deste "outro" em um território que já fora seu e, no presente, não é mais. É como se um "mesmo" ancestral ressurgisse como uma espécie de estranheza inquietante. Salvo a fantasmagoria do desterro em casa própria, da constituição do não ser mais o que se foi — um mesmo que devém outro, um outro que devém "pré-mesmo" enquanto "novo", ou como fica ainda melhor na língua alemã: "ur"-mesmo —, de repente, a "ocupação do espaço" se reconstrói por um caminho totalmente inesperado do ponto de vista do "princípio de identidade". O modo da aparição indígena, além de tudo, soa inadequado para quem já o tinha previamente interpretado do ponto de vista dos hábitos. Se o "índio" é o "primitivo" que não se relaciona com as tecnologias da "sociedade avançada", a dita "sociedade avançada" pode ainda chamar de "índios" aqueles que, não "podendo" se relacionar às tecnologias, contudo, passam a relacionar-se com elas e usá-las? Que efeito, que consciência esta aparição inesperada produz no cenário geral?

Estas pessoas individuais — heterodenominadas "índios" — e grupos que resolvem se manifestar no contexto de um novo "campo" representam em nosso país, no Estado chamado Brasil, uma espécie de "retorno do recalcado". Um retorno histórico do que não se esperava, nem se desejava em escala social, que viesse à tona. O espaço virtual torna-se, assim, um estranho modo de acesso ao país que era seu, a um lugar que, além de lhes ter sido tomado, lhes foi proibido. Vemos aí o bom encontro entre história e internet, entre o concreto e o virtual, a dupla banda entre linguagem e realidade reconstruindo ambas as faces desse encontro em um novo campo político. Tais povos e pessoas que compõem estas comunidades chegam à história pela porta do cotidiano enquanto ele se constrói entre nós, hoje em dia, pela internet.

O choque cultural que poderia acontecer dá lugar a um elo estranho e também inesperado, mas, sobretudo, escarnecido pelo discurso conservador que não quer ver esperanças na contramão de sua ordem: a solidariedade ideal — na forma virtual — daqueles que se manifestam em prol dos povos ameríndios presenciada neste contexto é tratada pelo discurso do conservadorismo como um impossível, porque a solidariedade, que não é o mero conchavo, mas pura espontaneidade, esbanjamento antieconômico, é, em si mesma, a prova do perigo contra aquilo que se queria conservar. Onde há solidariedade é porque algo já não se conservou.

Somos testemunhas, deste modo, de um acontecimento histórico linguístico que é, ao mesmo tempo, uma inversão histórica, da ordem de uma transfiguração. Se um dia os textos de Colombo — ou a famosa carta de

Pero Vaz de Caminha — expuseram a existência dos povos ameríndios aos europeus que os denominaram com a ignorância consentida na aliança com os narradores, como "índios", agora uma nova carta vem transformar o sentido das coisas escancarando um outro ponto de vista e uma nova consciência com a qual temos que nos enfrentar nos dias atuais. A irrupção é — para aquele que se entende no lugar de um "mesmo" sob o paradigma da identidade — não apenas de um outro no sentido de pessoas que, saindo de suas posições "subalternas", vêm dizer a si mesmas demonstrando suas perspectivas, mas também de um outro "método".

É a própria "abertura ao outro" o que os povos ameríndios vêm afirmar com a carta em questão. No entanto, esta abertura não é ingênua, nem "primitiva", mas radical luta de vida e morte em que a autocompreensão e a compreensão do todo abrem lugar para o que está além do cinismo do senso comum ambientado, por exemplo, naquele discurso do jornalismo obscurantista tão comum entre nós. O outro que irrompe é, neste caso, também a verdade, por oposição ao cinismo. E ela é uma arma que o europeu e sua versão na forma do neocolonizador-colonizado jamais pensava que pudesse ser usada na intenção de desmontar o sistema.

62. Redes sociais — Círculo cínico, senso comum, laboratório de alteridade

No dia 11 de outubro do ano de 2012 "50 homens, 50 mulheres e 70 crianças" das "comunidades Guarani-Kaiowá originárias de tekoha Pyelito kue/Mbrakay" enviaram uma carta ao Governo Federal do Brasil* que chamou a atenção da opinião pública brasileira e internacional por meio de sua divulgação nas redes sociais, tais como Facebook e Twitter, e que se estendeu por vários blogs e portais. A carta interpretada no contexto das redes como uma ameaça de suicídio coletivo não continha, de modo algum, esta afirmação. O motivo da interpretação que correu solta se deve à força do senso comum erigido facilmente a partir da má informação, da veiculação de ideias e crenças abstratas que se repetem como verdadeiras e, muitas vezes, infelizmente, a falta de leitura atenta por parte dos usuários das redes sociais. O senso comum se constrói e se sustenta no "dizem que", ou seja, na opinião geral, na opinião em voga, no pensamento comum e acrítico gerador de tendências (dominantes) seguidas por quem não se ocupa em investigar, sendo que investigar o que possa estar acontecendo nem sempre é possível por quem não adquiriu este hábito. Cada indivíduo assume o pensamento geral como se a função da reflexão que lhe é própria fosse desnecessária. E o assume por contágio do público, por ser inconsciente da influência persuasiva de que sofre. É neste sentido que podemos dizer que a formação do senso comum tem relação com a formação das massas: uma ideia, uma

---

*Carta que pode ser lida na íntegra no blog: <http://blogapib.blogspot.com.br/2012/10/carta-da-comunidade-guarani-kaiowa-de.html>. Acesso em: 10/10/2014.

interpretação, é como um "acontecimento" capaz de reunir em torno de si um grupo imenso de pessoas na forma de uma descarga em que todas as diferenças desaparecem em nome do igual.

O que importa neste momento é que, no lamacento e nebuloso contexto do senso comum, desenvolveu-se a opinião de que povos indígenas não apenas cometem, mas valorizam o suicídio,* embora o suicídio tanto de indígenas quanto de sujeitos urbanos não se torne normalmente notícia. Não se trata, portanto, apenas do que se converte em pensamento comum em torno dessa questão, mas do fato da manipulação do pensamento para que ele se torne "único". Que a ideia do suicídio indígena tenha mais espaço nos meios de comunicação do que a notícia de assassinato comum em certas regiões habitadas por grupos indígenas é questão, neste momento, para fazer pensar. Se o suicídio veio à tona como notícia de um modo inverso às notícias de assassinato é porque pensar em suicídio indígena é, de algum modo, mais conveniente no contexto do senso comum do que levantar a real e moralmente interpelativa questão do seu assassinato. A culpa fica com este "outro" negativo e a irresponsabilidade social não é nomeada

Sobre o sentido do suicídio indígena há estudos relevantes. Mas é preciso levantar preliminarmente a questão da força da opinião forjada pelos meios de comunicação e de sua aliança com o senso comum — sobre o qual é altamente responsável —, enquanto esta opinião é baseada em ideologias que

---

*Se consultarmos blogs e portais encontraremos manchetes e reportagens sobre o referido "suicídio coletivo". A lista é longa, mas podemos ficar com alguns exemplos (cujos grifos são meus), tais como: "*Suicídio Coletivo* expõe drama da questão indígena" in: <http://terramagazine.terra.com.br/blogdomarcelosemer/blog/2012/10/24/suicidio-coletivo-expoe-drama-da-questao-indigena/>; "Possível *Suicídio Coletivo* indígena gera ação nas redes Sociais": <http://www.hojeemdia.com.br/noticias/possivel-suicidio-coletivo-de-indigenas-gera-ac-o-nas-redes-sociais-1.48207>; "Comunidade Indígena ameaça *suicídio coletivo* no MS": <http://www.vermelho.org.br/noticia.php?id_secao=1&id_noticia=196828>; "Povo Indígena Decide cometer suicídio", in: <http://portuguese.ruvr.ru/2012_10_23/92164219/>; "Tribo indígena ameaça *suicídio coletivo* devido à ameaça de despejo no Mato Grosso do Sul": <http://www.fup.org.br/2012/arbitrariedade/2220031-tribo-indigena-ameaca-suicidio-coletivo-devido-a-ameaca-de-despejo-no-mato-grosso-do-sul>. Acesso em: 08/01/2013. Embora haja o cuidado de certas matérias em falar de "morte coletiva" entre aspas, são tão raras que não fazem diferença na desatenção prática do campo do senso comum: <http://www.bbc.co.uk/portuguese/noticias/2012/10/121024_indigenas_carta_coletiva_jc.shtml>. Acesso em: 08/01/2013.

descartam facilmente a questão da alteridade. Vemos aí o começo da prova de que ainda "projetamos" sobre os povos, postos sempre no lugar de um "outro", nossas próprias ideias, ou as ideias que melhor convêm ao momento.

Poderíamos nos perguntar, na intenção de esclarecimento sobre a "formação da opinião", sobre o que é o senso comum, como ele se forja, e assim avançar na perspectiva filosófica que contra ele se faz, enquanto cuida de ser crítica e autocrítica. Meu interesse é, no entanto, mais pontual: fazer ver que a carta do grupo Guarani-Kaiowá manifesta uma consciência das vítimas sobre sua condição, sobre uma verdade que vem sendo ocultada pelos discursos ideológicos ao longo da história e que, neste momento, vem à tona como letra de acusação.

Quero afirmar que esta carta como "peça" de comunicação teve o poder de mudar a orientação comumente conservadora do senso comum. Neste sentido ela foi uma verdadeira arma de guerra, no melhor sentido do combate contra o poderoso círculo cínico que se desenha em torno da questão indígena no Brasil. Chamo "círculo cínico" à aliança entre o mentiroso e o otário, tal como a desenvolveu Ricardo Goldemberg em um livro chamado *No círculo cínico*, que sempre oculta uma verdade. Verdade é, justamente, no contexto do círculo cínico, aquilo que está oculto. É, por sua vez, um desejo de "mais-verdade" que é capaz de quebrar este círculo, mas apenas quando é apresentada sem medo das consequências que possa gerar.

É na quebra do círculo cínico que o senso comum mudou de orientação em relação à visão dos indígenas Guarani-Kaiowá. Mas o que levou a esta mudança de ponto de vista? Como veio à tona o fato de que, em uma sociedade democrática, o que está em jogo é justamente a multiplicidade dos pontos de vista diante da condenação das perspectivas diferentes ao pensamento único sempre promovido em contextos de autoconservação? A existência da multiplicidade de pontos de vista é uma "verdade" ocultada nos processos de "formação de opinião" enquanto eles mesmos se sustentam sob um círculo cínico, no controle discursivo sobre "a verdade" próprios dos meios de comunicação enquanto máquinas da reprodução da opinião.

Isso leva a pensar no que poderia ser feito na intenção de acionar a verdade contra o círculo cínico que a oculta, se ela mesma foi colocada onde está por este mesmo círculo sempre girando em torno da conservação de si mesmo. Se há uma relação intrínseca entre a multiplicidade dos pontos de vista e a quebra do pensamento único, é porque o outro é o elemento inevitável que surge no ato da percepção da multiplicidade da qual o mesmo faz parte. Esta percepção é possível no verdadeiro "laboratório" de alteridade em que se constitui a internet. Neste caso, a virtualidade das redes sociais, em que pese o elemento falso e fantasmático de seu caráter, é também o protótipo de uma impressionante experiência de linguagem capaz de quebrar paradigmas, estilhaçar perspectivas, criar o múltiplo e o uno, o mesmo e o outro. O laboratório da alteridade é também laboratório perspectivista. Adaptando o que disse Viveiros de Castro sobre o caráter do desejo dos Tupi totalmente aberto à radical alteridade do europeu, que via nestes europeus uma "possibilidade de autotransfiguração", podemos dizer que algo do mesmo teor se deu entre os sujeitos que se manifestaram com a hashtag "Somos todos Guarani-Kaiowá". Citando Viveiros de Castro, tal "autotransfiguração", surge como "um signo da reunião do que havia sido separado na origem da cultura, capazes de vir a alargar a condição humana, ou mesmo de ultrapassá-la".

Mas como se criou o vínculo capaz de viabilizar estes processos? E que vínculo este novo vínculo veio desfazer? Que "economia da alteridade" está em cena? Eliane Brum, a jornalista que mais se ocupou da questão defendendo, na contramão de vários outros jornalistas, o ponto de vista dos índios nos dá uma pista, ao dizer que

> De repente, pessoas de diferentes idades, profissões e regiões geográficas passaram a falar diretamente com as lideranças indígenas, no espaço das redes sociais, sem precisar de nenhum tipo de mediação. E de imediato passaram a ampliar suas vozes. A partir dessa rede de pressão, as instituições — governo federal, congresso, judiciário etc. — foram obrigadas a colocar a questão na pauta.*

*Disponível em: <http://revistaepoca.globo.com/Sociedade/eliane-brum/noticia/2012/11/sobrenome-guarani-kaiowa.html>. Acesso em: 15/01/2013.

Se esta percepção está correta, estamos diante de um ato democrático completamente novo na história do Brasil. A interrupção é justamente a de uma "mediação". Ocorreu um desvinculamento da "opinião" dos jornalistas como sacerdotes autoritários. A jornalista citada passa à análise. Certamente uma análise é também mediação, mas em um sentido totalmente outro em relação à rapidez da internet. O diálogo dos povos indígenas que não acontecia entre estes mesmos povos e o Estado, diálogo impedido cuja prova é a carta de outubro, torna-se fato concreto entre estes povos e a sociedade em geral no uso que todos fazem das redes sociais e da internet.

Quando os povos indígenas participam da internet e das redes sociais, eles se reinscrevem na sociedade que os excluiu, refazendo, neste aspecto, o sentido desta mesma sociedade. O desvinculamento da opinião dominante dá lugar a um vínculo outro no contexto das redes sociais. Talvez seja precipitado dizer que as pessoas "refletem" por conta própria, enquanto a reflexão é um mecanismo de uma liberdade ainda rara, mas não é insensato dizer que o desejo de pensar por conta própria, de posicionar-se livremente em nome da liberdade é o que está em jogo. A potência revolucionária das redes como medialidade livre manifesta-se exemplarmente aqui.

63. Contraconsciência do assassinato

Uma das formas do discurso fascista e dominador — aliado muitas vezes do pensamento ideológico, acrítico e até mesmo dogmático que é o "senso comum" — é o *falar de* e *sobre o* outro projetando sobre este outro seus interesses e jamais posicionar-se no lugar de *ouvir o que o outro tem a dizer*. O "outro" é, no senso comum, enquanto estrutura da verdade dominante, meramente negativo. O outro está sempre "errado", o outro é o "louco", o estranho, é ele que está sempre errado. Neste caso, o outro é o "suicida" e, portanto, o "imoral".

Vemos, tomando atenção ao conteúdo da carta em questão, que não se trata de uma carta de suicídio, mas de um texto em que a consciência da "matabilidade" dos próprios sujeitos matáveis se torna escancarada para seus próprios algozes e todos aqueles que podem tomar consciência do fato pela informação difundida em rede. O povo que a redigiu dirige-se a seu assassino, um assassino que não tem outro rosto senão o do Estado, do Governo, da Justiça e até mesmo da sociedade. Os autores da carta não falam "com" seu assassino, pois que, se a prática do diálogo fosse possível, tal carta não teria sido redigida nos termos com que o foi. A carta é uma prova de ausência de diálogo, no sentido de ausência de "escuta" por parte do assassino. Quem a redige é o outro que, à força, se fez ouvir por meio dela nas redes sociais.

As redes, neste sentido, tornam-se em nosso tempo o grande ouvido social por sua própria constituição aberta. Nelas sempre surge alguém disposto a escutar e a pensar diferente porque os mecanismos da censura são diluídos na transmissão da informação e da opinião geral. A rede é desentendimento e desvinculação — e re-vinculação — em que a negatividade desses processos é positiva. A instância de segredo e de silêncio que sustenta a mística ideológica se modifica completamente. Onde há diálogo real, ou pelo menos desejo real de diálogo, a ideologia não subsiste como falsa consciência.

Do mesmo modo, podemos dizer que onde há democracia do sentido da partilha do saber pela informação aberta, um assassinato que sempre depende de sua posição de segredo — quanto à autoria —, tem um estatuto diferente. Os autores da carta falam, pois, *para* seu assassino sob a consciência de uma condenação ocultada que é assumida contra o cinismo. Denunciam o que ninguém, sob um acordo tácito, deveria dizer. Se os assassinos, autores do genocídio indígena sempre se esconderam, agora já não podem se esconder, pois sua vítima rompeu o círculo cínico.

Cabe perguntar: que verdade foi escancarada no ato da escrita desta carta? A questão da consciência dos autores mostra um ponto de vista inusitado. Não se trata de "re-acusação", nem "vitimização", mas do surgimento de um processo que devemos chamar aqui de "contraconsciência", no sentido de Renato Constantino, para quem a "contraconsciência" significaria a ação na contramão da "modelagem de consciências no interesse do controle colonial". Se as pessoas costumam adotar a perspectiva dominante como verdadeira, a constraconsciência é a oposição capaz de romper o padrão dominante abrindo espaço de liberdade real para aqueles que foram posicionados como dominados. Neste contexto, "constraconsciência descolonizada", a expressão usada por Constantino que é citada por Mészarós, é aquilo que mostra a chance de sair do senso comum.

Neste ponto, a carta em questão é contundente artefato de "contraconsciência" no sentido de uma consciência que vai na contramão, que confronta sem medo o seu próprio algoz em vez de internalizar sua verdade. A cortina de fumaça moral que reveste os discursos ideológicos — seja como politicamente corretos ou na inversão do politicamente correto que, sendo politicamente incorreto, em nada muda a sociedade em termos de sustentação da dominação, ao contrário, a reafirma — é retirada com o vendaval de contraconsciência acionado com a carta que se endereça diretamente aos algozes, assumindo um saber sobre o que fazem tais algozes e o que podem fazer aqueles que já não se contentam com a posição de vítimas.

A carta, neste sentido, é contraconsciência também no sentido daquilo que afirmou a jornalista Eliane Brum: "A declaração de morte dos Guarani-Kaiowás é 'palavra que age'". Como peça performativa, a carta provocou no contexto das redes sociais um efeito que vale considerar, pois que tem algo a ensinar ao modo de pensar baseado no princípio da identidade que não admite a não identidade ou a diferença.

Ora, que a partir desta carta uma parcela considerável da população das redes sociais tenha se manifestado por meio da tarja "Somos todos Guarani-Kaiowá" acrescentada ao avatar pessoal usado por cada um nas redes, mostra não apenas um outro nível do discurso, em que está em jogo tanto o sentimento quanto a compreensão relativamente ao outro, mas um jogo de linguagem diferente, em que o outro não é mais simplesmente negado na projeção do mesmo. Trata-se, sim, da manifestação de um sentimento, e, certamente, de um "conceito" — uma "frase-conceito" como a chamou Eliane Brum —, mas também de uma ação performativa em que a linguagem é o ato. O outro não é visto como categoria negativa do mesmo, mas é, verdadeiramente, assumido a ponto de que indivíduos podem "tarjar-se" com ele, assumir seu nome.

O que manifesta aquele que usa a tarja é que "posso assumir" uma verdade para além do princípio de identidade. Manifesta que pode assumi-la na prótese de identidade que é o avatar, prótese que é também superidentidade e anti-identidade, ou mesmo disfarce. Mas esta prótese é, ao mesmo tempo, o que liberta para a própria reinvenção daquele que manifesta ao marcar-se como alguém que está além de sua "identidade". O que "eu sou" não implica mais um capital subjetivo. Assim, diante das críticas quanto à "dessubjetivação" própria ao poder enquanto ele se organiza como dispositivo (como o denomina Foucault) ou aparelho (como Flusser) que é a internet, somos obrigados a olhar para a reinvenção da subjetividade que manipula agora suas máscaras. Somos obrigados a olhar para a subjetivação que acontece na internet enquanto ela é meio relacional que permite transcender a questão do mesmo. A internet é muito mais um território de "índios" do que de "brancos": espaço de "relacionabilidade" geral e altamente descontrolada, ainda que ela mesma seja o grande dispositivo social de nossa época, questão que não poderemos analisar aqui.

Neste ponto, é importante pensar que a autossignificação fechada em si deixa seu fechamento, se abre ao outro de um modo que ainda precisamos avaliar e compreender. Sem deixar de ser algo que se é, e assumindo ao mesmo tempo a alteridade, aquilo que não se é, cada agente torna-se mais do que ele mesmo em uma espécie de devir-outro.

64. Uma verdade outra, um outro in-comum

Neste ponto é que se pode afirmar que o senso comum em vigência nas redes sociais — como em qualquer campo do social — pode desobedecer à ideologia do mesmo e, neste caso, dar lugar à "contraconsciência" como verdade do "outro" ou como uma verdade "outra". Movidos por outro sentimento, o de solidariedade a um grupo em relação ao qual a sociedade brasileira sempre foi negligente, os usuários das redes sociais dão um passo na contramão do senso comum em relação a outra experiência com o "comum". Outro "comum" entra em cena na forma de um comum totalmente "outro". O "comum" não é mais o mero senso da repetição da verdade estabelecida pelos donos do poder, mas na posição da contramão, da contraconsciência, a autoposição por uma outra ideia, uma ideia que agrega alteridades em nome da mudança e não na conservação.

Uma "outra" visão das coisas chega à luz. Nela o "outro" não é "integrado" — o que é sempre perigoso, pois a integração sempre pode ser devoração do outro sob o princípio da identidade — mas é "assumido", o outro não é simplesmente "subsumido" como na dialética hegeliana, mas reconhecido em seu lugar de não identidade, uma diferença com a qual o "mesmo" se relaciona. "Assumo" e não "subsumo", no sentido de que aceito o lugar de um outro que não sou eu e que este outro faz "comunidade" comigo. A consequência é que não sou mais simplesmente "eu", nem um "mesmo" puro e simples. Estou "em relação" com ele, o que significa que algo acontece "entre" nós no sentido de um novo vínculo antes inexistente. Mesmo e outro são categorias que se tornam móveis. O que surge é a comunidade das diferenças, ou a comunidade das "não identidades" em que pode haver uma bandeira comum, uma tarja, uma marca, mas esta marca não anula as diferenças, antes as eleva a um lugar onde a própria identidade do mesmo poderia subsumir-se numa total inversão da ideia de dialética hegeliana.

Um aspecto importante a levantar é que esta atitude teórico-prática que é, de certo modo, o "reconhecimento" que permite a comunidade com o "outro" não se realiza na intencionalidade etnológica europeia, ao contrário, ela é nativa e Kaiowá. Neste sentido é que não se trata, na verdade, de "reconhecimento". Estamos diante de um processo de mestiçagem cultural que irrompe na linguagem da internet.

Como disse Eduardo Viveiros de Castro a Eliane Brum:

> Chamo a atenção para o fato de que a troca de nome entre indivíduos, como modo de instituir uma relação social entre não parentes, marcar a criação de um laço de aliança e amizade, era uma prática comum entre os ancestrais dos caiovás, os povos Tupi-Guarani do século XVI, aqueles que receberam (tão bem, para sua desgraça) os invasores europeus nas praias do Brasil. Uma das etimologias mais prováveis da palavra "xará" é o tupi *ichê rera*, "meu nome", isto é, diz-se de alguém que tem o mesmo nome que eu, porque eu lhe "dei" meu nome e ele me "deu" o seu.
>
> Compartilhamos nomes porque somos um só, somos a mesma pessoa. O gesto de pôr "Guarani Kaiowá" como parte do próprio nome parece-me assim especialmente significativo, por essa feliz coincidência de que é (ou foi) uma prática especialmente significativa para os próprios índios. Chamar-se "Fulano Guarani Kaiowá" é como pôr os guaranis caiovás como parte da família, ou melhor, ver-se como parte da família dos guarani caiovás.*

É esta prática dos Kaiowás — a de ser "xará", a de compartilhar o nome — que é "assumida" pelos "internautas" no contexto referido demonstrando algo totalmente diferente do que se poderia esperar sob o signo da identidade

---

*Disponível em: <http://revistaepoca.globo.com/Sociedade/eliane-brum/noticia/2012/11, sobrenome-guarani-kaiowa.html>. Acesso em: 15/01/2013.

ocidental e do eurocentrismo em que a familiaridade se da apenas pelo padrão eugenista da consanguinidade. Pensando ainda no que diz Viveiros de Castro, se está em jogo para estas sociedades a "relação aos outros" como "(in)fundamento" e "não a coincidência consigo mesmas", talvez tenhamos um (anti)parâmetro para pensar do ponto de vista ameríndio o lugar de um outro como o "desencaixado" dos sistemas de pensamento, o não identificável, tão aberto em si mesmo que é capaz de abrir o próprio pensamento de quem tenta pensá-lo trocando a ordem das perspectivas.

Neste ponto, o leitor pode estar objetando que este tipo de atitude no contexto das comunidades "virtuais" em nada muda a vida dos sujeitos implicados na dizimação autodenunciada. Ou seja, a vida dos "indígenas" continuará sendo a mesma, o governo não mudará sua atitude, nem os latifundiários posseiros e pistoleiros interessados na questão da não demarcação das terras que desde a Constituição de 1988 acirrou-se como questão política — e de polícia. Sabemos, no entanto, que o passo inicial das mudanças — em escala pessoal ou social — parte sempre da visão de mundo. É a visão das coisas — seja como ideologia, crença, senso comum, teoria, ou até mesmo reflexão — que orienta as ações para destinos autoritários ou democráticos. Sabemos que a opinião pública pode mover montanhas, que as grandes transformações em escala social dependem das mudanças de paradigma que são sempre transformações no modo de pensar/agir no espaço-tempo.

65. Reconhecimento

O que está em questão, portanto, é, no contexto das redes sociais, o que chamamos de "reconhecimento" tomado aqui como um "operador teórico--prático", mais do que simplesmente uma categoria de compreensão da relação com um outro em sentido teórico. Com isto quero dizer que o "teórico", ou seja, o que se pensa, não apenas afeta o prático, mas o determina. E, assim, reciprocamente. Daí a importância prática da formulação do "teórico" — no qual se incluem os pontos de vista — ele mesmo sempre "prático". O pensamento conservador sabe a importância de "convencer" (teoricamente), de que "conservar" o estado de coisas como elas estão (praticamente) é fundamental e esta é, evidentemente, uma atitude mais do que meramente teórica: é acima de tudo também teórico-prática.

Foi dito que o "reconhecimento" como ponto de vista e postura em relação ao outro se produz nas redes sociais em um novo sentido. Embora as redes sociais sejam redes virtuais e, de qualquer modo, instâncias de produção de senso comum, tornam-se também um verdadeiro laboratório da expressão democrática. A própria ideia de rede implica a conexão de diversas perspectivas. Não há, neste sentido, como sustentar na internet um pensamento único ainda que tendências dominantes no sentido fascista possam surgir.

Embora surjam na internet os "cristais de massa", de que falou Canetti em *Massa e poder*, sustentados em vinculações normativas, a sua configuração ontológica não admite o "uno". A fragmentação, se quisermos usar este termo tão em voga, é um sintoma do democrático. É a democracia, que não se manifesta emocionalmente em favor da manutenção do status quo, o que "irrita" o pensamento tradicional de viés eurocêntrico, aquele que nega o outro ou o negativiza ao mesmo tempo. Vemos no caso em questão a diferença entre "massas fascistas" e "massas revolucionárias" totalmente manifesta: aquelas perdem lugar para estas por novas formas de contágio.

Não é apenas a opinião da "autoridade" — no caso, jornalística — a que vem contar no espaço, nem mesmo o pensamento comum como ideia pronta sempre repetida, mas a opinião de "qualquer um", ou de "todo mundo" que se manifesta no território das redes. Os usuários das redes são tratados neste ponto pelos sacerdotes do fascismo como aberrações. Aberrações daquilo que foram os canibais para os europeus prontos à devoração. E de fato, muito além do reconhecimento como categoria do sistema eurocêntrico, o que parece ter sido realizado pelos grupos de indivíduos solidários foi uma espécie de "predação ontológica" como na expressão de Viveiros de Castro. Mas no sentido de que algo que estava fora foi incorporado, sem no entanto ter sido "subjugado" por um mero princípio de identidade. Não que o outro tenha vindo fazer parte do mesmo, mas as partes foram confundidas no gesto da nomeação como um gesto de troca, de partilha. De assumir sem subsumir. A partilha de algo "comum" orientou para uma experiência "in-comum", para uma prática em que o "reconhecimento" confundiu horizontes dados, paradigmas preestabelecidos. A identidade parece não importar mais como figuração da dominação.

Os meios de comunicação, de um modo geral e ao mesmo tempo, podemos dizer, assumem o paradigma democrático experimentado nas redes. Por isso, vemos iniciativas totalmente diferentes no âmbito dos jornais na internet. De discursos fascistas de conservação e negação do outro até defesas do outro, apesar de certo acordo tácito pela ilusão de neutralidade, o que temos é um grande laboratório democrático em que a alteridade é posta em jogo como algo a ser negado ou assumido, destruído ou protegido. O embate dessas posições é democrático no sentido de que admite mais e mais posicionamentos de "qualquer um" até que possa surgir um outro comum. Que tipo de sociedade surge no contexto das redes? Em que sentido as redes sociais servem de modelos sociais? Até que ponto a democracia como conjunto das práticas epistemológicas, estéticas, cognitivas e éticas no âmbito da internet tem realmente lugar no mundo da vida? São perguntas que permanecem em aberto, mas servem como orientação a uma sociedade que experimenta a autodesconstrução de paradigmas. Se há "reconhecimento", ele não é mascarado na tolerância, mas festejado como "liberdade de expressão" na contramão da "formação de opinião" previamente dada nos meios de comunicação e do senso comum.

66. A violência hermenêutica e o problema filosófico do outro

O que podemos chamar de "alteridade" é uma questão de hermenêutica. Para dizer quem é o outro, preciso expressar algo sobre ele. O problema é que o "outro" é sempre alguém ou algo que, por princípio, desconheço. E esta relação de desconhecimento, que é também de estranhamento, sempre pode ser apagada pela pretensão de verdade própria do princípio de identidade com o qual se aprender a pensar, pelo menos no que diz respeito a toda uma cultura baseada na mentalidade ocidental europeia. Ultrapassar esta mentalidade não é um esforço que dependa apenas de um indivíduo ou outro, mas de processos históricos dos quais certamente fazem parte os processos intelectuais pelos quais devemos nos responsabilizar enquanto construtores de teorias, educadores, e, certamente, enquanto simples indivíduos que todos somos.

Ora, o que se pode dizer do "outro" é sempre apenas uma interpretação, no sentido de que alguma coisa é colocada diante de um ponto de vista. A distância entre a coisa e o ponto de vista é normalmente esquecida ou desconsiderada pelo "ponto de vista" que só é ponto de vista por supor sua própria posição num sistema em que se disputa a "verdade". O que se diz sobre o "outro" sempre é dito por alguém que o supõe, ao qual podemos denominar pelo termo "mesmo". O "mesmo" padece dos limites do horizonte de compreensão no qual ele se estabelece e, ao estabelecer-se, estabelece o "outro". O mesmo é justamente aquele que surge no limite de uma compreensão que o é relativamente a um outro em relação ao qual o "mesmo" não se dispõe como "relativo". O que o mesmo diz do outro pode derivar facilmente de discursos prontos e precários ao serem motivados por aspectos socioculturais, como moral e religião, compreensão de classe e até mesmo desejos e interesses ocultos, inconscientes, nem sempre conhecidos.

Tristan Todorov em *A conquista da América — a questão do outro* faz uma análise de conquistadores como Colombo e Cortez e alguns outros que, chegando ao mundo das Américas, um mundo por eles desconhecido, o interpretaram segundo os limites inevitáveis à sua própria perspectiva, aquela da mesmidade. Tais limites são, curiosamente, os do conhecimento de que são representantes e se efetivam na forma como se estabelece a comunicação com o outro encontrado. A comunicação faz parte do desejo de saber, mas também implica uma moral: desejar relacionar-se ao outro, é o que está em questão. Está em jogo o fato de que se toma aquilo que já se viu, que se supõe saber, como conhecimento verdadeiro e absoluto, quando é a crença que permite interpretar o "outro" o que se manifesta. Este conhecimento/crença, ao mesmo tempo que leva a uma interpretação, de certo modo emperra o encontro com a novidade que seria inerente a um conhecimento — tão verdadeiro quanto possível — do outro desconhecido. Se a interpretação parece inevitável, deve-se levar em conta que são inevitáveis os seus limites.

A relação entre o mesmo e o outro é trabalhada ao longo da história da filosofia europeia desde os filósofos pré-socráticos. Em toda a tradição que deriva de Platão, o outro (heteron) é um princípio do ser. Na moderna filosofia europeia a relação entre o mesmo e o outro foi traduzida nos termos do sujeito e do objeto. De um ser pensante e uma coisa pensada. A pergunta que podemos nos fazer é se seria possível pensar e agir para além da relação entre sujeito e objeto? Theodor Adorno comenta em um texto chamado justamente "Sujeito e Objeto" que "o sujeito devora o objeto, ao esquecer o quanto ele mesmo é objeto". Em outros termos, o que o "sujeito" esquece é a mediação que há entre ele e o que ele chama de objeto. Está em vigência, neste caso, um jogo de fraqueza e força, uma dialética entre as forças objetivas e subjetivas que sustentam este sistema sujeito-objeto enquanto são garantidas por ele. O que chamamos de sujeito também sofre da objetividade do discurso de outros "sujeitos" que não percebem o quanto eles mesmos são objetos. Adorno falou em "primazia do objeto" para designar o fato de que o sujeito se torna objeto, o fato de que o objeto diz algo contra a intencionalidade do sujeito, contra o seu "conhecimento prévio" do objeto. Em termos simples:

objeto é aquilo que resiste ao que o sujeito quer fazer dele, porém, ao mesmo tempo, objeto é infelizmente aquilo que o sujeito faz do seu outro.

Podemos pensar isso tudo, do ponto de vista também da estratégia da redução ao corpo, análoga à construção de uma identidade heteroconstruída. Ambas fazem parte da estratégia da falácia prática que une discurso e ação no processo de "enquadramento" que é também um processo de "marcação" do outro para que ele se mantenha num lugar controlável. Tal é o lugar da identidade. O indivíduo encontrado por Colombo foi "marcado" por sua visão de mundo, foi objetificado desde que posto dentro de uma identidade por enquadramento. Nela, seu corpo foi objetificado. Sobre ele se perguntou se teria alma, fator que poderia de algum modo "aproximá-lo" da condição do homem europeu.

Esse afastamento pela diferença define que quem se chamou de "índio" foi identificado em uma diferença em relação à identidade europeia. Seu corpo foi instrumento usado na demarcação do "outro". Neste caso, retira-se o outro do seu direito valendo-se da redução à identidade que é, ao mesmo tempo, uma condenação ao gueto: o "mesmo" diz o "outro", seja o índio, o mendigo, o pobre, a prostituta, as crianças, as mulheres, o que ele quiser dizer do ponto de vista de sua "identidade", de sua "mesmidade" e do que esta "minha identidade" quiser dizer da "alteridade" forjada. Este "dizer" define um lugar a ser ocupado, um lugar onde o indivíduo é posto, como que aprisionado em uma cadeia cujas amarras são apenas aparentemente simbólicas quando comparadas com seu caráter concreto. Pois é a particularidade do outro, sua condição de pessoa viva orientada em sua própria forma de vida estabelecida em contextos culturais, o que é negada pela identidade projetada no outro. A não identidade é o que no outro não se reduz, nem mesmo à alteridade. É o que não se encaixa nas heterodeterminações e no próprio ato de conceituar.

No texto "Sobre sujeito e objeto" Adorno fala de um "homem singular vivente" (*der lebendige Einzelmensh*) que seria a encarnação do "homo oeconomicus". Podemos dizer que este homo oeconomicus é a figura da mensuração transcendental que instaura a "identidade". Ela implica a necessidade de "medidas". O interesse de Colombo é todo "capital", no sentido de ser religioso e capitalista, de estabelecer uma "verdade" que serve de medida. Na análise de Adorno, homo oeconomicus é muito mais um sujeito transcendental do que o indivíduo vivente, enquanto é vítima do abstrato modelo da troca. Alguém que, como um indivíduo desconhecido diante de Colombo, foi introduzido à força na categoria usada pelo sujeito transcendental: "índio". Isso quer dizer que o indivíduo empírico é "deformado" pela abstração de um sujeito transcendental que o antecede. Ele é objetificado por um conceito que lhe sustenta e que é, ele mesmo, previamente objetificado. O corpo do homem indígena julgado a partir da existência de uma alma, desta forma encontrando a legitimação ilegítima para ser escravizado, faz parte da história do "corpo explorado". Isso quer dizer que a separação entre empírico (um corpo somente corpo) e transcendental (um corpo que teria alma), já é uma elaboração do pensamento europeu tradicional, cujo objetivo é promover a dominação pela submissão do concreto ao transcendental. Sendo que o transcendental é a ideia e o discurso que a veicula, seja de Colombo, seja dos jornalistas de hoje em dia.

A única saída deste jogo de submissão do concreto ao transcendental é enfrentar a construção do transcendental, forçar o transcendental desde o concreto, e suas aplicações por um caminho crítico. Isso implica a consciência da construção do sujeito e da separação interna ao sujeito: é preciso neste caso ter em vista a perspectiva de que, por um lado, a separação entre sujeito transcendental e empírico é verdadeira. Diz Adorno que "o conhecimento da separação real consegue sempre expressar o cindido da condição humana, algo que surgiu pela força", mas, por outro lado, ela é falsa: "a separação não pode ser hipostasiada ou transformada em invariante". Isso quer dizer, em termos concretos, que a autoconsciência indígena entra na história como contraconsciência sabendo que o diálogo é impossível, pois seu outro não quer com ela dialogar. Lembrando Homi Bhabha, ao falar da artista afro-americana Renée Green, está em jogo "a necessidade de compreender a diferença cultural como produção de identidades minoritárias que se 'fendem' — que em si já se acham divididas — no ato de se articular um corpo coletivo". Só que esta divisão é consciência da divisão. Uma contraconsciência inesperada para a consciência dominante.

Impedindo o "conhecimento" do outro, na visão de Todorov dos conquistadores, está o sistema de crenças, da verdade religiosa e metafísica que representam, mas também o interesse econômico, o "ouro" que vem buscar nessas terras distantes. Há um interesse em geral, pode-se dizer, coroado por um argumento de "autoridade" que faz os viajantes manejarem sua crença como se soubessem o que vão encontrar pela frente. Não se trata, para estes aproveitadores europeus, de buscar a verdade, mas de encontrar, como afirmou Todorov, "confirmações para uma verdade conhecida de antemão".* Tais homens viajando naquela época iniciaram em nome de seu saber — um saber suposto por eles mesmos e sua cultura — um processo de "colonização e destruição dos outros".** O saber era a desculpa para a violência que realizariam em nome da coroa de seus país, do deus de sua religião e, para resumir, da verdade de seu ponto de vista. Colombo foi, como todo conservador, um sujeito autoritário em cujo fundo sustentava-se o sujeito da "certeza", para quem o "outro" é sempre submetido à verdade prévia do seu sistema de crenças e, como não pode deixar de ser, do discurso e das ações que ele sustenta.

Todorov insiste no limite da visão de mundo dos conquistadores. No caso de Colombo, como limite da própria linguagem. Por isso, ele permanecerá analfabeto das línguas locais e, ao mesmo tempo, usará o ato da "nomeação" como uma forma de tomar posse do mundo ao seu redor. Nos objetos ao seu redor — e nas pessoas tomadas como objetos — ele põe os nomes que traz consigo, sem entender que a comunicação humana no sentido da aventura no ponto de vista do outro, ou pelo menos no diálogo, poderia ser valiosa em sua viagem. Mas Colombo era um homem do discurso e não do diálogo. E usava a linguagem como dominação dentro de seus limites epistemológicos. Como bem nota Todorov, ele não era bem-sucedido na comunicação porque não estava interessado nela. E isso, ao fim e ao cabo, porque, segundo seu ponto de vista, os índios eram apenas "objetos vivos". Cortez, por sua vez, segundo a interpretação de Todorov, não fora tão limitado quanto Colombo, pois buscou, logo de sua chegada, um intérprete. Isso não mudará o ponto de vista de Cortez, pois que este encontro com o outro o torna ainda mais apto para a conquista visada. Também ele não verá naqueles com quem se depara, sujeitos iguais a ele.

---

*Todorov, 2003, p. 27.
**Ibidem, p. 357.

Para Todorov, no entanto, Cortez vencerá os Astecas não apenas por sua força, mas porque os Astecas "perderam o controle da comunicação"* e assim se tornaram cada vez mais fracos. No fundo, o que lhes aconteceu é que perderam a capacidade de interpretar o advento do inimigo, perderam a relação com a profecia, a capacidade de interpretar os fatos. É, podemos dizer, como se tivessem perdido seu próprio ponto de vista, esmagados que foram pelo ponto de vista do inimigo. A história é também, podemos dizer, uma luta de discursos e de perspectivas. Na guerra de perspectivas, os europeus foram mais fortes porque mais violentos. Praticaram aquela violência hermenêutica, a do ponto de vista que esmaga o outro, que não o reconhece. Ou seja, não projetaram sua visão de mundo sobre o inimigo enquanto o inimigo projetou a sua sobre eles, enfraquecendo-os.

Mais objeto que destinatário de um discurso, o "outro" não passava de mera coisa a ser ultrapassada em sentido literal. Se a guerra depende sempre de uma disputa quanto a verdades, e verdades implicam projeções. Diante do inimigo, os Astecas perderam sua relação com seus deuses, mas muito mais perderam a arma da linguagem e a capacidade de fazer violência por meio dela. Foram vencidos no procedimento da identificação que se confunde com a projeção. O que podemos dizer, tentando olhar pelo lado da falta constitutiva dessas antirrelações, pois que são relações de dominação, é que todos os conquistadores triunfaram por usarem a linguagem de um modo não dialógico. Eles evitaram o diálogo, sustentando sempre, de um modo ou de outro, a sua suposta e imposta "razão" carregada de verdades prévias. Se é fato que a falha da comunicação é ausência de capacidade para o diálogo, neste caso, a derrota dos Astecas tinha a ver com o fato de que "a renúncia à linguagem é o reconhecimento de uma derrota", como afirma Todorov, mas apenas porque não havia a proposição do diálogo por parte do opressor. O poder do presságio em uma sociedade superdeterminada, como apontado no livro de Todorov, foi fundamental, mas serviu apenas para aniquilar qualquer chance de um outro papel da linguagem.

O fato de que Montezuma e seus rapínicos opositores espanhóis não tinham como "conversar" foi decisivo. A chance dessa conversa jamais

---

*Ibidem, p. 86.

existiu no processo da conquista, da colonização e da catequese. E isso porque o princípio de identidade não se pauta no diálogo, mas na violência hermenêutica: toda alteridade deve ser reduzida à interpretação do ponto de vista do mesmo. O que os autores da carta em questão neste artigo fizeram foi denunciar a ausência de diálogo e o assassinato "que é seu efeito mais extremo".

Evita-se com a violência hermenêutica o espanto, a estranheza como qualidade positiva do outro. Ele é reduzida ao exótico. É questão contemporânea brasileira o que, em Todorov, é constatação quanto aos textos dos conquistadores: a inexistência de um "sentimento radical de estranheza" na "descoberta dos outros continentes e dos outros homens". Importante ver que em relação a esta questão não saímos do mesmo lugar. No Brasil atual, a percepção popular sobre os povos nativos se resume em exotismo e curiosidade do lado, digamos, mais positivo da percepção coletiva, e de descaso e ódio, do lado mais negativo.

Além disso, há mais um aspecto que nos importa. Todorov escolhe trabalhar neste texto com a ideia de um "outro exterior", aquele com o qual os conquistadores espanhóis não se relacionavam imediatamente e para cuja relação a forma como compreendiam a função da linguagem não oferecia contribuição. Se a questão da "percepção que os espanhóis têm dos índios" nos permite pensar *lato sensu* a visão que não índios têm de índios até os dias de hoje é porque percebemos que a mesma falta de diálogo continua em cena. A falta de diálogo é o sintoma não apenas de ausência de reconhecimento, mas de uma projeção violenta de uma verdade sobre o outro em que o papel da linguagem não é o da comunicação, mas o do mero discurso em nome de uma verdade única que a carta dos Guarani-Kaiowá veio expor. Que esta verdade seja projetada por um sistema de crenças prévio pode soar como um atestado de burrice ou idiotice a quem reflete com cuidado, mas se pensarmos que a inteligência é uma categoria moral, precisamos ir um pouco mais fundo entendendo que há maldade — não apenas ingenuidade — no procedimento daquele que nega o outro. E que a base do uso da linguagem é sempre ética ou antiética.

O outro é sempre uma categoria relativa. É o outro que vem constituir o mesmo enquanto, ao mesmo tempo, pode ser destruído por ele. O sentido profundo da política, bem como da ética, assim como de toda a compreensão de subjetividade em termos filosóficos ou psicológicos depende do entendimento do sentido das relações enquanto instauradas pela linguagem com a qual podemos projetar nossas verdades sobre o outro ou comunicarmo-nos sem violência com ele. A relação que desenvolvemos com o outro exterior do qual fala Todorov explica algo de nós mesmos, enquanto estamos posicionados no lugar do "mesmo". Podemos, nós mesmos, portanto, ocupar o lugar do outro. Tendemos a ter uma relação de exotismo com este outro que está, em nossa compreensão, ou seja, no espaço onde elaboramos nossas interpretações, do lado de fora. O exótico é sempre o estrangeiro, aquele que em nosso hábito mental-cultural, no senso comum, tentamos sempre trazer para dentro daquilo que já conhecemos. Eis o malefício que o "princípio de identidade" — esta mania de redução do estranho ao comum — causa em nosso próprio processo de conhecimento. Seu resultado é uma espécie de traição em que o mesmo se torna inimigo do outro que gostaria de fazer inimigo. Eis a mentira do conhecimento que só se elimina pela compreensão do espaço do "entre-nós".

Lendo Viveiros de Castro, me parece, no entanto, que é mais do que necessário pôr em cena um "reembaralhamento das cartas conceituais". Quando o antropólogo propõe a relação entre o que ele e outros chamam de "perspectivismo" e o que ele denomina "multinaturalismo" — uma espécie de "política cósmica" —, vemos uma mudança substancial da relação entre uns e outros que afeta o sentido quase absoluto que o termo reconhecimento alcançou na tradição da filosofia europeia e que nos permite questioná-la em termos de sua objetividade. O que está em jogo não é mais um "mesmo" e um "outro", mas no contexto de uma "economia geral da alteridade", a multiplicidade de pontos de vista, uma verdadeira "mobilidade" de "pontos de vista" que não se pautam em algo como um princípio de identidade. Algo como uma "relacionalidade" ou "relacionabilidade" geral é que se apresenta limitando o alcance de categorias como "mesmo" e "outro" no contexto do "reconhecimento". A "indiferenciação entre humanos e animais" faz pensar na alteração geral do que se pode compreender. Outra metafísica nada metafísica está em cena deslocando as questões de natureza e cultura, humanidade e animalidade numa grande indistinção — uma "ontologia integralmente relacional" — entre todas as coisas que participam da mesma alma no mundo. A questão dos pontos de vista permanece, mas assumem outro modo de ser. Os pontos de vista são diferentes, dependendo das formas corporais dos seres, não mais de um princípio de identidade que opõe uns a outros, antes os instaura na relacionabilidade geral. Está em cena o perspectivismo que, nas palavras de Viveiros de Castro: "trata-se da concepção, comum a muitos povos do continente, segundo o qual o mundo é habitado por diferentes espécies de sujeitos ou pessoas, humanas e não humanas, que o apreendem segundo pontos de vista distintos". Viveiros de Castro põe em jogo o problema do "ver como" em que animais veem humanos e humanos veem animais, e seres em geral veem uns aos outros. Se podemos aplicar aqui um resumo geral da questão: se estivesse em cena a noção de "sujeito", ela não implicaria simplesmente a de um "objeto" projetado. Se podemos dizer que "mesmo" e "outro" não são mais pertinentes no "jogo epistemológico" da "objetivação", o "Outro" dos ameríndios, no entanto, não é mais algo simplesmente relativo ao mesmo, ele persiste na forma de "pessoa" no sentido muito amplo de uma subjetivação. Seu caráter não é mais o do que resiste na oposição entre natureza e cultura, mas na indiscernibilidade com a natureza em que o padrão "sujeito x objeto" deixa de importar. No lugar do etnocentrismo que sempre pode ser imputado aos povos em geral, surge dos ameríndios o cosmocentrismo como postura avançada em termos ecológicos em geral, inclusive no que concerne à condição humana. Pensar uma ecologia para a internet e as redes sociais será um próximo passo.

67. A paranoia da autorreferencialidade

Colombo encontrou os americanos, mas não quis saber deles. Não teve interesse em conhecer sua língua, nomeou-os índios por confusão — um "furor nominativo", como diz Todorov —, que nunca pretendeu esclarecer, já que fez disso o consolo por não ter atingido as tão esperadas Índias. Interpretou os sujeitos do seu encontro segundo sua fé cristã, sua compreensão da hierarquia governamental, e a fantasia do exótico que trazia consigo. Buscava, segundo Todorov, que compreendeu sua postura como a de um "idiota" que julgava os outros idiotas, mais a confirmação de suas ideias, do que a verdade.

Não somos diferentes de Colombo. Até hoje, mais de quinhentos anos de inauguração do genocídio indígena que não cessa até o presente, padecemos do mesmo furor nominativo, da mesma mania de identificação. Quinhentos anos depois ela se tornou, no mínimo, antiquada. E já o era em 1492, depois de mais de 1.500 anos de filosofia grega onde ela nasceu. Tal mania é, na verdade, a paranoia de autorreferencialidade que constitui o padrão básico — a base aristocrática do conhecimento que não se percebe estrangeiro — de um modo de entender o mundo. Em outras palavras, a inevitabilidade do que somos é o que nos faz interpretar o mundo de um jeito ou outro, mas se não guardamos espaço para entender que o estranho também nos habita, nos tornamos janelas fechadas para a diversidade da vida que está implicada na possibilidade de conhecer. O ideal da identidade que se usa até hoje em certos discursos e pesquisas em ciências humanas — o que dizer de quem não é especialista? — tornou-se uma verdadeira arma contra a compreensão, enquanto, ao mesmo tempo, promete a explicação de toda a diferença (palavra usada muitas vezes para designar a identidade).

Identificar, ou seja, trazer o de fora para dentro, é um fato mental ineliminável, mas ele pode ser reelaborado na direção de um conhecimento ético, aquele que envolve o respeito pelas coisas diferentes até a implosão da identidade.

O que está em jogo é a redução do outro a objeto. A incapacidade (sempre confusa com interesses) de ver neste outro um sujeito de direito, um sujeito que o é do "mesmo" direito. A redução do outro sujeito humano a objeto se dá na estratégia falaciosa da redução à identidade quando se diz que o outro "é" isso ou aquilo. Ao dizer de modo estanque que o outro é "índio" enquanto "eu não sou", garanto a verdade da oposição por meio de um processo de criação de uma identidade coletiva para o outro composto de indivíduos diversos. Edward Said percebeu que esta construção da identidade do outro, em sua análise do orientalismo, possui "eficácia assassina", o que nos leva a pensar a proposição do genocídio como elemento transcendental constitutivo de todo discurso construtor da "identificação" do outro enquanto ele é "enquadramento" do outro.

Complexo é o que aconteceu com a tarja "somos todos Guarani-Kaiowá", pois quem estaria no lugar do "mesmo" posicionou-se não apenas no lugar do outro, mas construiu um lugar "entre nós". Em vez de afirmar que o outro é e eu não sou, afirmou-se "somos todos *o outro*", ou, "eu — que não poderia ser — com o outro como o outro". Neste ato linguístico — totalmente novo na história brasileira — a autoconsciência de si não foi usada contra o outro, mas contra a ideia geral de um mesmo que se opõe a um outro. É a lógica da oposição binária que constitui a "identidade da diferença" o que implode nesse ato. Podemos dizer que o ato linguístico do uso da tarja, da adesão ao nome Guarani-Kaiowá, fez implodir a questão mesmo-outro, dando lugar a outra lógica, a do "entre-nós". A crítica que nega o sentido dessa ação, da autoafirmação de tantas pessoas na internet por meio de uma adesão ao nome, é autoimplosiva enquanto se percebe nela a manutenção do pensamento conservador e a repetição do discurso colonizado, aquele que introjetou a verdade do colonizador — a de quem um "mesmo" detém a "verdade" sobre um "outro" — e que, tendo vantagens concretas maiores ou menores, se tornou seu representante.

Se relacionarmos essas reflexões à questão da alteridade denominada indígena, em si mesma questionável porque heterodeterminada, percebemos

que a carta de outubro mostra justamente a consciência de um autoconheci-
mento da cisão, a consciência de ter sido colocado no lugar ocupado. O que
faz do sujeito dessa carta o sujeito da verdade insuportável para o discurso
dominante. O que nos permite concluir que a expressão dessa cisão é a única
saída, o único passo da saída, contra a dominação vigente.

Bibliografia

ADORNO, Theodor. *Dialética Negativa*. Trad. Marco Antonio Casanova. Rio de Janeiro: Jorge Zahar, 2009.

———. *Dialética do Esclarecimento*. Trad. Guido de Almeida. Rio de Janeiro: Jorge Zahar, 1986.

———. "Educação após Auschwitz". In: *Educação e emancipação*. Trad. Wolfgang Leo Maar. São Paulo: Paz e Terra, 2003.

———. *Palavras e sinais. Modelos críticos 2*. Trad. Maria Helena Ruschel. Petrópolis: Vozes, 1995.

AGAMBEN, Giorgio. *Homo sacer: o poder soberano e a vida nua*. Trad. Henrique Burigo. Belo Horizonte: Editora UFMG, 2010.

———. *O que é o contemporâneo e outros ensaios*. Trad. Vinicius Honesko. Chapecó/SC: Argos, 2009.

BARTHES, Roland. *Fragmentos de um discurso amoroso*. Rio de Janeiro: Martins Editora, 2003.

BHABHA, Homi. *O local da cultura*. Trad. Myrian Ávila *et al*. Belo Horizonte: Ed. UFMG, 1998.

BRUM, Eliane. "Sobrenome: Guarani Kaiowa". Disponível em: <http://revistaepoca.globo.com/Sociedade/eliane-brum/noticia/2012/11/sobrenome-guarani-kaiowa.html>. Acesso em 10/10/2014

———. "Decretem nossa extinção e nos enterrem aqui". Disponível em: <http://revistaepoca.globo.com/Sociedade/eliane-brum/noticia/2012/10/decretem-nossa--extincao-e-nos-enterrem-aqui.html>. Acesso em 10/10/2014

COLOMBO, Cristóvão. *Diários da Descoberta da América. As quatro viagens e o testamento*. Trad. Milton Persson. Porto Alegre: L&PM, 1999.

DUBY, Georges. *Eva e os padres*. São Paulo: Companhia das Letras, 2001.

FLUSSER, Vilém. *Filosofia da caixa preta*. Rio de Janeiro: Relume Dumará, 2002.

FREYRE, Gilberto. *Casa grande & senzala*. Rio de Janeiro: José Olympio, 1933.

GOLDEMBERG, Ricardo. *No círculo cínico. Ou caro Lacan, por que negar a psicanálise aos canalhas?* Rio de Janeiro: Relume Dumará, 2002.

HOLANDA. Sérgio Buarque de. *Raízes do Brasil*. Rio de Janeiro: José Olympio, 1936.

KAFKA, Franz. *Narrativas do espólio*. Trad. Modesto Carone. São Paulo: Companhia das Letras, 2002, p. 104-106.

MUSSA, Alberto. *Meu destino é ser onça*. Rio de Janeiro: Record, 2009.

NIETZSCHE, Friedrich. *A gaia ciência*. Trad. Paulo César de Souza. São Paulo: Companhia das Letras, 2001.

_____. *Assim falou Zaratustra: um livro para todos e para ninguém*. Paulo César de Souza [trad.]. São Paulo: Companhia das Letras, 2011.

POWER, Samantha. *Genocídio, a retórica americana em questão*. Trad. Laura Teixeira Motta. São Paulo: Companhia das Letras, 2004.

RIBEIRO, Darcy. *O povo brasileiro*. São Paulo: Companhia das Letras, 1995.

SAID, Edward W. *Orientalismo: o Oriente como invenção do Ocidente*. Trad. Rosaura Eichemberg. São Paulo: Companhia das Letras, 2007.

SOUZA, Jessé. *A Ralé Brasileira — quem é e como vive*. Belo Horizonte: Editora da UFMG, 2009.

SPIVAK, Chakravorty Gayatri. *Pode o subalterno falar?* Trad. Sandra R. Goulart Almeida *et al*. Belo Horizonte: UFMG, 2010.

TARDE, Gabriel. *A opinião e as massas*. São Paulo: Martins Fontes, 2005.

TODOROV, Tristan. *A conquista da América: a questão do outro*. Trad. Beatriz Perrone-Moisés. 3ª. Edição. São Paulo: Martins Fontes, 2003.

VIVEIROS DE CASTRO, Eduardo. *A inconstância da alma selvagem*. 2ª. Edição. São Paulo: Cosacnaify, 2006.

Este livro foi composto na tipologia Minion Pro
Regular, em corpo 11/16, e impresso em
papel off-white no Sistema Cameron da
Divisão Gráfica da Distribuidora Record.